O ENEAGRAMA MODERNO

Título do original: *The Modern Enneagram*.

Copyright © 2017 Althea Press, Berkeley, Califórnia.

Copyright da edição brasileira © 2019 Editora Pensamento-Cultrix Ltda.

1ª edição 2019.

Todos os direitos reservados. Nenhuma parte deste livro pode ser reproduzida ou usada de qualquer forma ou por qualquer meio, eletrônico ou mecânico, inclusive fotocópias, gravações ou sistema de armazenamento em banco de dados, sem permissão por escrito, exceto nos casos de trechos curtos citados em resenhas críticas ou artigos de revista.

A Editora Cultrix não se responsabiliza por eventuais mudanças ocorridas nos endereços convencionais ou eletrônicos citados neste livro.

Ilustrações © 2017 Megan Dailey/www.megandailey.com

Advertência ao leitor: Este livro é uma obra de consulta e informação. Os conselhos e estratégias aqui fornecidos podem não ser adequados para todos os tipos de situações. Caso necessário, um profissional qualificado deve ser consultado. Nem o editor ou as autoras se responsabilizam por danos decorrentes do uso incorreto das informações contidas neste livro.

Editor: Adilson Silva Ramachandra
Gerente editorial: Roseli de S. Ferraz
Preparação de originais: Karina Gercke
Produção editorial: Indiara Faria Kayo
Editoração eletrônica: Join Bureau
Revisão: Luciana Soares da Silva

Dados Internacionais de Catalogação na Publicação (CIP)
(Câmara Brasileira do Livro, SP, Brasil)

Berghoef, Kacie
    O eneagrama moderno: descubra quem você é e quem você pode ser através do sistema dos nove tipos de personalidade / Kacie Berghoef, Melanie Bell; tradução Claudia Gerpe Duarte, Eduardo Gerpe Duarte. - São Paulo: Cultrix, 2019.
    Título original: The modern enneagram
    Bibliografia.
    ISBN 978-85-316-1491-0

    1. Eneagrama 2. Personalidade 3. Tipologia (Psicologia) I. Bell, Melanie. II. Título.

19-24588   CDD-155.26

Índices para catálogo sistemático:

1. Eneagrama: Personalidade: Tipologia: Psicologia 155.26
Cibele Maria Dias - Bibliotecária - CRB-8/9427

Direitos de tradução para a língua portuguesa adquiridos com exclusividade pela EDITORA PENSAMENTO-CULTRIX LTDA., que se reserva a propriedade literária desta tradução.
Rua Dr. Mário Vicente, 368 - 04270-000 - São Paulo - SP
Fone: (11) 2066-9000
http://www.editoracultrix.com.br
E-mail: atendimento@editoracultrix.com.br
Foi feito o depósito legal.

Kacie Berghoef
Melanie Bell

O Eneagrama Moderno

Descubra quem você é e quem você pode ser através do sistema dos nove tipos de personalidade

Tradução
Claudia Gerpe Duarte
Eduardo Gerpe Duarte

Editora Cultrix
SÃO PAULO

SUMÁRIO

Introdução **7**

1 A DESCOBERTA
DO EU **12**

2 O ENEAGRAMA NA
PRÁTICA **72**

3 O ENEAGRAMA NO
TRABALHO **98**

4 O ENEAGRAMA NOS
RELACIONAMENTOS **142**

5 CRESCIMENTO E
MUDANÇA **178**

Conclusão **207**

Apêndice: atalhos para que você escape dos seus padrões **211**

Recursos **216**

Referências **219**

Agradecimentos **222**

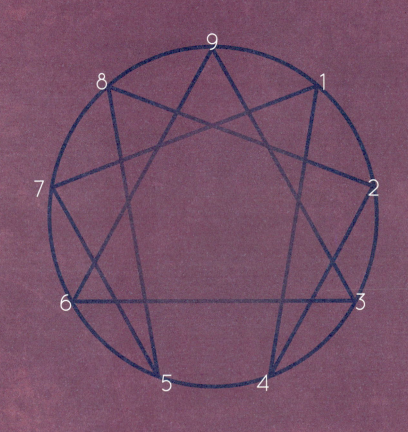

INTRODUÇÃO

Você já teve uma experiência reveladora na qual compreendeu algo a respeito de si mesmo, e do mundo, em um nível mais profundo do que jamais tinha compreendido antes? Talvez essa compreensão tenha surgido em um momento de contemplação ou a partir de novas informações que o levaram a olhar para as coisas com outros olhos. Queremos apresentá-lo a um sistema de autoconhecimento que causou em nós esse efeito profundo: o Eneagrama.

A história de Melanie

Quando tomei conhecimento do Eneagrama, eu estava sentada com amigos em uma longa mesa no refeitório da faculdade, comendo tofu frito e arroz malcozido. Eu era aluna da graduação e havia acabado de me tornar independente. Estava fascinada por um seminário sobre personalidade do qual eu tinha acabado de participar durante uma aula e pela discussão que se seguira – uma discussão a respeito de como cada participante via o mundo de uma maneira diferente. Eu me perguntei se a psicologia da personalidade teria a chave que eu estivera buscando para entender a mim mesma, fazer escolhas coerentes e conectar-me com os outros.

"Você já ouviu falar em Eneagrama?", perguntou um dos meus colegas. Ele prosseguiu, apresentando descrições de cada tipo de personalidade em uma só frase, e, quando demonstrei estar insegura com relação ao meu eneatipo, ele me emprestou um livro sobre o assunto. O sistema parecia complicado, e seu traçado geométrico um pouco intimidante, até que comecei a ler a respeito de cada personalidade. Esta, esta não... Ah. Espere um instante. Os autores tinham me seguido de um lado para o outro com uma câmera?

Dez anos de estudo e ensino do Eneagrama mais tarde, esse sistema de autoconhecimento mantém seu poder de surpreender.

A história de Kacie

Minha história de autodescoberta começou na internet. Meu fascínio por aprender como os outros funcionavam começou quando eu era bem jovem. Ao ler a respeito dos vários sistemas de personalidade e fazer testes para determinar a minha, comecei a juntar os pedaços para descobrir os motivos pelos quais eu e outras pessoas à minha volta agíamos da maneira como agíamos.

Mas tudo se tornou mais aprofundado quando um amigo sugeriu que eu desse uma olhada no Eneagrama. Uma rápida busca na internet me conduziu ao *site* do The Enneagram Institute – e a um poderoso entendimento. Ao me ver frente a frente com as descrições do Eneagrama, um mundo inteiramente novo se abriu para os motivos das minhas ações. Parecia que o Eneagrama me conhecia melhor do que eu conhecia a mim mesma! Quando mergulhei no estudo do Eneagrama e busquei a mim mesma, os outros sistemas de personalidade que eu havia aprendido, como a Tipologia de Myers-Briggs e o DiSC (uma avaliação que se concentra nos traços de dominância, influência, submissão e conformidade), se dissolveram quase que de modo instantâneo e ficaram em segundo plano.

8 INTRODUÇÃO

Avancemos uma década, e descubro que independentemente de quanto trabalho interior eu tenha feito e de quanto eu possa achar que sei agora, continuo a ficar abismada e assombrada com o poder e a capacidade do Eneagrama de me conhecer.

Uma ferramenta para o crescimento

Então, o que exatamente o Eneagrama faz? Em resumo, ele oferece um entendimento sobre nove tipos diferentes de personalidade. De certa maneira, ele é uma janela para o motivo pelo qual nós, seres humanos, fazemos o que fazemos.

O Eneagrama explica como diferentes pessoas veem o mundo, possibilitando que entendamos o ponto de vista dos outros. Com base nessa perspectiva, ele é útil para a comunicação, a interação no local de trabalho e para o fortalecimento das relações. Ele também é um conceito profundamente voltado para o crescimento, uma vez que descreve padrões de pensamento e comportamento para cada tipo de personalidade – hábitos que mantêm muitas pessoas imobilizadas pelos estresses do dia a dia – e oferece maneiras que possibilitam escapar dessas armadilhas. Esses caminhos de crescimento são, em nossa opinião, uma das maneiras mais importantes pelas quais as pessoas podem aplicar o sistema a si mesmas.

O Eneagrama tem sido usado para melhorar o entendimento entre membros de famílias e colegas de trabalho, criar vínculos entre líderes sul-africanos de diferentes etnias depois do *apartheid*, reduzir as taxas de reincidência de pessoas em liberdade condicional e abrir caminhos de comunicação entre israelenses e palestinos. No caso de nós duas, ele ajudou no gerenciamento das emoções, na autoaceitação, no desenvolvimento profissional, na dinâmica dos relacionamentos e no entendimento das nossas famílias. Quando usado para promover a compreensão em vez de estereótipos, o Eneagrama é uma ferramenta muito poderosa.

Grande parte do nosso aprendizado do Eneagrama foi feito por meio de livros que continuam a ser fantásticos e relevantes, mas que não conseguiram acompanhar por completo nossa vida moderna e dinâmica. O mundo está mudando rápido, e há novas maneiras de aplicar o Eneagrama ao nosso planeta cada vez mais globalizado e digitalmente conectado. A cada ano que passa, o Eneagrama está sendo cada vez mais utilizado em contextos comerciais, empresariais e pessoais.

Você aprenderá neste livro os conceitos básicos da história e da teoria do Eneagrama e a maneira como cada parte complexa funciona em conjunto. Em seguida, você aprenderá a aplicar essas constatações ao seu trabalho, aos relacionamentos e à sua vida do dia a dia. Vamos lhe oferecer uma visão geral muito prática do que o Eneagrama é e do que ele faz. Vamos indicar recursos com os quais você poderá aprender mais, inclusive testes de personalidade que o ajudarão a descobrir seu eneatipo. Nós o incentivamos a ler a respeito dos nove tipos de personalidade com a mente aberta e verificar com qual deles você mais se identifica.

Você está pronto a se juntar a nós em uma jornada do Eneagrama? Vamos começar!

10   INTRODUÇÃO

A DESCOBERTA DO EU

O Eneagrama é mais do que um teste de personalidade. Com raízes históricas que remontam pelo menos ao século XIV, o Eneagrama moderno ajudou milhares de pessoas a descobrir verdades a respeito de si mesmas e do seu propósito na vida. Além de proporcionar uma maneira interessante de você aprender a respeito de si mesmo, o Eneagrama também é um catalisador para a inspiração e a transformação.

As percepções que o Eneagrama oferece podem ajudá-lo em muitas decisões práticas na vida, como encontrar a carreira ou o estilo de vida mais compatível com a sua personalidade. À medida que for aprendendo a respeito do seu eneatipo e observar como ele se manifesta na sua vida, você poderá descobrir que um ambiente mais calmo do que aquele em que está vivendo é propício ao seu desenvolvimento ou que seus talentos seriam mais bem utilizados em um trabalho mais orientado para as pessoas do que aquele que você tem no momento. Poderá reconhecer hábitos que impedem que você expresse o que tem de melhor e, em decorrência disso, fazer mudanças com o tempo.

Também constatará que o Eneagrama é útil como um guia para entender os outros. Conhecer os tipos de personalidade das pessoas à sua volta poderá ajudá-lo a compreender sua família, resolver conflitos com seu parceiro ou parceira e se comunicar de modo mais eficiente com seus colegas de trabalho. O Eneagrama disponibiliza uma quantidade tão grande de conhecimento que, hoje em dia, muitos terapeutas, *coaches*, consultores de negócios e mestres espirituais optam por usar esse sistema para ajudar as pessoas que atendem.

Neste capítulo, vamos falar um pouco a respeito da história do Eneagrama e de como ele se desenvolveu a partir de um símbolo antigo e se tornou a ferramenta psicoespiritual prática que usamos hoje em dia. Vamos examinar as diversas partes do símbolo do Eneagrama e o significado delas. Em seguida, vamos apresentar uma visão geral dos nove tipos do Eneagrama, bem como das motivações essenciais, dos talentos e desafios que cada tipo possui. Continue a ler para dar um mergulho profundo na psique humana e obter um vislumbre inicial de como aproveitar esse poderoso conhecimento para seu próprio crescimento pessoal.

Raízes espirituais: o Eneagrama na história

Dizem que o símbolo do Eneagrama, de nove pontas, se originou do sufismo, uma ramificação mística do islamismo, e foi popularizado no Ocidente pelo mestre espiritual russo G. I. Gurdjieff no início do século XX. Ele ensinou o Eneagrama como uma maneira de compreender os movimentos e as mudanças que constituem a dimensão espiritual da vida. O Eneagrama também formou a base de algumas das danças sagradas que seus alunos executavam guiados por ele. As danças de Gurdjieff, baseadas em movimentos precisos e intencionais, visavam desenvolver a atenção e a consciência. Um aspecto fundamental do ensinamento de Gurdjieff era identificar a "principal característica" dos seus alunos, um padrão de comportamento psicodinâmico proeminente que os mantinha "adormecidos" para sua verdadeira natureza. Ele usava esse conhecimento para personalizar seu ensinamento para cada um dos seus alunos, orientando-os em caminhos individuais, em direção a um crescimento espiritual que equilibrava suas aptidões mentais, físicas e emocionais.

O mestre transpessoal boliviano Oscar Ichazo abordou as fraquezas ou imperfeições das pessoas e as incorporou, sob seu ponto de vista, ao próprio Eneagrama. Na década de 1950, ele desenvolveu um sistema para mapear os tipos de personalidade em torno do Eneagrama, criando a base para os difundidos ensinamentos atuais. Seu sistema se baseava em opostos: para cada um dos nove tipos de personalidade, ele atribuiu uma paixão emocional (ou desequilíbrio emocional) e uma virtude correspondente.

PERSPECTIVAS PSICOLÓGICAS

Na década de 1970, o psiquiatra Claudio Naranjo desenvolveu com mais detalhes as ideias de Ichazo, delineando perfis da psicodinâmica de cada tipo e descrevendo patologias relacionadas com um tipo comum. Para cada tipo, ele identificou motivações, vieses cognitivos e tendências neuróticas, como o narcisismo ou traços histriônicos. Ele também foi a primeira pessoa a usar o painel como método de ensino. Naranjo agrupava as pessoas por tipo e fazia perguntas a elas, o que possibilitava que ele e seus alunos obtivessem um entendimento melhor de cada Tipo. Por exemplo, ele reunia um grupo de pessoas que se identificavam com o Tipo Um e fazia perguntas a elas, esclarecendo aspectos do tipo para sua audiência. Essa abordagem do Eneagrama é amplamente utilizada hoje em dia.

Enquanto desenvolvia o seu conteúdo do Eneagrama, Naranjo o ensinava a alunos em Berkely, na Califórnia. Suas ideias se propagaram para seminários jesuítas, onde foram disseminadas. A primeira geração de autores do Eneagrama o aprendeu principalmente por meio dessa intermediação. Maria Beesing, Robert Nogosek e Patrick O'Leary publicaram em 1984 o primeiro livro sobre o Eneagrama, *The Enneagram*, como um sistema de personalidade. Você talvez esteja familiarizado com os outros que se seguiram, como *Personality Types* de Don Riso e *The Enneagram: Understanding Yourself and Others in Your Life* de Helen Palmer.

O ENEAGRAMA HOJE

Tanto Riso quanto Palmer se tornaram líderes na área e fundadores da escola de Eneagrama mais proeminente do mundo. Don Riso expandiu a descrição da psicologia de cada tipo de maneira a incluir nove Níveis de Desenvolvimento, diferenciando as manifestações saudáveis, médias e não saudáveis dos tipos. Elas abarcam toda a gama do potencial humano, do funcionamento ideal à patologia psicológica. Riso fundou o Enneagram Institute e se associou a Russ Hudson para desenvolver seu trabalho. Helen Palmer, contemporânea de Riso, escreveu livros a respeito das aplicações práticas do Eneagrama e fundou a Tradição Narrativa. Nessa escola influente, Palmer e seu parceiro de ensino David Daniels refinaram a abordagem de painel de Naranjo – na qual grupos de um determinado tipo eram reunidos – usando histórias pessoais para oferecer tanto um entendimento do tipo quanto uma experiência de cura para os participantes.

O conhecimento do Eneagrama como um sistema de personalidade se propagou além das suas raízes esotéricas e passou a fazer parte da cultura predominante. No mundo inteiro, terapeutas, *coaches* e instrutores corporativos usam o Eneagrama com seus clientes. Embora sejamos professoras qualificadas e credenciadas pelo The Enneagram Institute e a nossa opinião esteja profundamente influenciada pela abordagem psicodinâmica dessa escola, estudamos com profissionais do Eneagrama que aplicam o sistema a áreas muito heterogêneas, como o *coaching* executivo e a hipnose. Ao longo dos próximos capítulos, vamos lhe dar uma ideia das diversas maneiras pelas quais o Eneagrama pode ser aplicado.

A estrutura do Eneagrama

Embora representado como uma figura simples, os números, círculos e linhas do Eneagrama podem ser interpretados de muitas maneiras diferentes. Vamos dar uma olhada na forma do Eneagrama que a maioria das pessoas conhece.

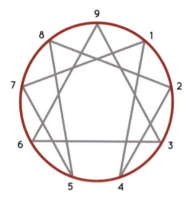

CÍRCULO As nove pontas da figura do Eneagrama (cada uma representando um dos nove tipos) estão contidas dentro de um círculo. O círculo representa a unidade, mostrando que os nove tipos do Eneagrama são iguais e estão conectados uns aos outros.

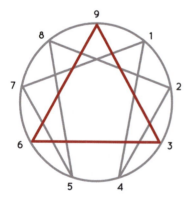

TRIÂNGULO O triângulo interior do Eneagrama, que liga três pontas, representa uma interação dinâmica de três forças. Pense em qualquer par de opostos; a terceira ponta, ou força, representa uma síntese ou meio-termo que os reúne. Três Eneatipos – os Tipos Três, Seis e Nove – estão conectados pelo triângulo.

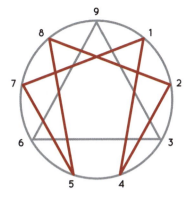

HÉXADE A héxade é uma figura irregular que conecta as outras seis pontas. Sua estrutura representa dinamismo e mudança. Embora todos tenhamos um tipo de personalidade dominante, também nos encontramos em um fluxo constante. Seis Eneatipos – os Tipos Um, Dois, Quatro, Cinco, Sete e Oito – estão conectados pela héxade.

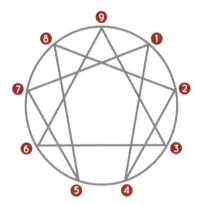

NÚMEROS Os nove números ao redor do círculo representam os nove tipos de personalidade do Eneagrama. Cada tipo do Eneagrama tem uma motivação básica que determina o comportamento. Cada pessoa tem dentro de si aspectos de todos os tipos, mas todo mundo tem um eneatipo primário – um que afeta as percepções, ações e interpretações pessoais do mundo.

AS FLECHAS DO ENEAGRAMA

Muitos tipos no Eneagrama estão interconectados, às vezes com flechas. Essas flechas seguem uma estrutura precisa que reflete as mudanças pelas quais as pessoas passam quando estão estressadas, em situações estáveis e quando seguem um caminho de crescimento pessoal. Quando nos deslocamos para um dos nossos pontos de conexão, assimilamos alguns dos comportamentos desse tipo. Esse movimento é constante e pode acontecer múltiplas vezes em um determinado dia.

As flechas que apontam para trás mostram o **Ponto de Estresse** de cada tipo, o tipo para o qual avançamos quando nos sentimos estressados. Avançar para nosso Ponto de Estresse pode nos proporcionar uma pausa da nossa maneira habitual de agir e evitar que nos tornemos menos saudáveis. Em uma grave situação de estresse, algumas pessoas podem se deslocar para seu Ponto de Estresse e permanecer lá durante meses ou anos.

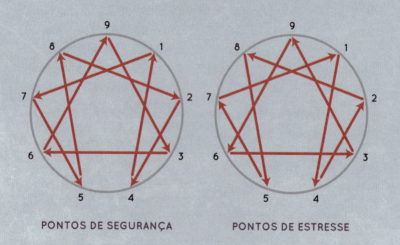

PONTOS DE SEGURANÇA   PONTOS DE ESTRESSE

O ENEAGRAMA MODERNO

As flechas que apontam para a frente mostram o **Ponto de Segurança** de cada tipo, o que nos permite expressar os comportamentos de outro tipo durante algum tempo. O Ponto de Segurança geralmente acontece em situações que parecem familiares e dignas de confiança ou quando estamos saudáveis, um movimento conhecido como **Ponto de Integração**. Integramos qualidades do tipo que ajuda a equilibrar o nosso ponto, como confiança ou estabilidade. Para mudar e crescer, precisamos desenvolver os comportamentos saudáveis do nosso Ponto de Segurança no nosso dia a dia.

OS CENTROS E AS TRÍADES

Os tipos do Eneagrama podem ser organizados em várias diferentes tríades, ou agrupamentos de três. Essas tríades descrevem pontos em comum entre os tipos, como a inteligência dominante, o estilo social, o estilo de resolução de conflitos e as relações com os objetos. Segue-se um resumo de cada grupo de tríades e de como cada tríade funciona.

OS TRÊS CENTROS

Os nove tipos do Eneagrama são representados por três diferentes centros de inteligência: o Centro do Instinto, o Centro do Sentimento e o Centro do Raciocínio. Quando estamos equilibrados, temos igual uso dos três centros de inteligência e igual acesso a eles, o que possibilita que recorramos a poderosas energias. Todos possuímos esses três centros, mas um deles é dominante na configuração dos pontos fortes e desafios do nosso tipo de personalidade. Embora o centro dominante detenha poderosas habilidades, ele também tem o potencial de ser utilizado em excesso ou de uma maneira inadequada.

O **CENTRO DO INSTINTO** se concentra nos nossos instintos e no corpo físico. Conscientizar-nos das nossas sensações físicas nos confere uma incrível inteligência somática. Quando escutamos nossos instintos físicos, nós nos sentimos fortes, personificados fisicamente e ancorados no momento presente. Quando nosso Centro do Instinto é subutilizado, nós nos sentimos sem base e temos dificuldade de nos impor. A Tríade do Instinto é composta pelos Tipos Um, Oito e Nove. As pessoas desses tipos, na sua melhor forma, são independentes e têm boa capacidade física. Quando desequilibradas, elas sentem que precisam impor sua vontade aos outros e têm problemas com a raiva.

O **CENTRO DO SENTIMENTO** se concentra na nossa identidade e em nossos valores pessoais. Prestar atenção ao coração nos confere uma forte inteligência emocional. Quando nos abrimos e escutamos o coração, nós nos tornamos compassivos, sentimos nosso Eu e liberamos as antigas mágoas. Quando nosso Centro do Sentimento é subutilizado, nós nos sentimos desligados dos nossos sentimentos e temos dificuldade em enxergar quem realmente somos. A Tríade do Sentimento é composta pelos Tipos Dois, Três e Quatro. As pessoas desses tipos, na sua melhor forma, são compassivas e têm um forte senso do Eu. Quando desequilibradas, elas sentem que precisam desenvolver uma identidade por meio da aceitação externa e têm problemas com a vergonha e a reprovação.

O CENTRO DO RACIOCÍNIO se concentra em obter conhecimento e apoio. Aquietar a mente nos confere uma poderosa orientação interior. Quando desobstruímos a mente, entramos em contato com nosso conhecimento interior e aprendemos a melhor maneira de avançar em direção ao futuro. Quando nosso Centro do Raciocínio é subutilizado, nossa mente fica confusa, e seguimos a orientação externa em vez do nosso guia interior. A Tríade do Raciocínio é composta pelos Tipos Cinco, Seis e Sete. Esses tipos, na sua melhor forma, têm a mente límpida e estão em contato com sua poderosa intuição. Quando desequilibrados, acreditam que precisam buscar a segurança por intermédio de outros métodos e têm problemas com a ansiedade.

OS ESTILOS SOCIAIS

Designadas por Don Riso e Russ Hudson, as Tríades Hornevianas descrevem três estilos sociais distintos que os eneatipos tendem a usar enquanto avançam pela vida. Elas utilizam os três tipos de movimento da psicóloga Karen Horney – pessoas que se movem contra as outras pessoas, se movem em direção às outras pessoas e se movem para longe das outras pessoas – para descrever as personalidades assertiva, aquiescente e retraída do Eneagrama.

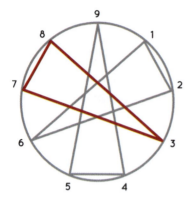

A TRÍADE ASSERTIVA. Os Tipos Três, Sete e Oito se encaixam no estilo clássico de Horney, do movimento contra os outros. As pessoas desses tipos, que usam esse estilo, tendem a ser empreendedoras e têm o poder de fazer as coisas avançarem. Elas se concentram em agir de modo decisivo e resolver rapidamente as situações. Do ponto de vista interpessoal, a determinação lhes confere maior facilidade ao confrontar outras pessoas e dizer o que pensam. Às vezes, as pessoas desse tipo, em particular, podem parecer muito bruscas, com o potencial de ferir os sentimentos dos outros.

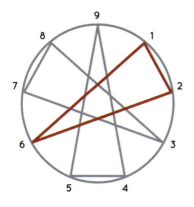

A TRÍADE AQUIESCENTE.
Os Tipos Um, Dois e Seis se encaixam no estilo social clássico de Horney, do movimento em direção ao outros. As pessoas desses tipos, que usam esse estilo, tendem a ser dóceis e conseguem estabelecer uma intensa cooperação com os outros. Elas se concentram em oferecer apoio e ajuda. Do ponto de vista interpessoal, as pessoas desses tipos tendem a transmitir cordialidade e o desejo de agradar e podem ser um pouco tendenciosas a fim de que percebam suas necessidades.
Às vezes, as pessoas desses tipos podem dar a impressão de se concentrar em excesso nas regras sociais durante as interações, com o potencial de irritar os outros.

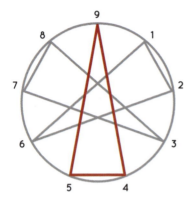

A TRÍADE RETRAÍDA. Os Tipos Quatro, Cinco e Nove se encaixam no estilo social clássico de Horney, do movimento para longe dos outros. As pessoas desses tipos, que usam esse estilo, tendem a ter um foco que é tanto íntimo quanto amplo, estratégico e global. Do ponto de vista interpessoal, as pessoas desses tipos tendem a ser atenciosas e reservadas, além de ser com frequência (embora nem sempre) mais introvertidas do que os outros dois estilos. Às vezes, as pessoas desses tipos têm dificuldade de se expressar em situações sociais, deixando os outros confusos com relação a suas necessidades e seus desejos.

ESTILOS DE RESOLUÇÃO DE CONFLITOS

Todos encontramos conflitos, desafios e momentos decisivos na vida. Reagimos a esses eventos de uma maneira inconsciente e de acordo com o nosso eneatipo. Usamos três estilos básicos para gerenciar os conflitos do dia a dia. Esses estilos – Competência, Reatividade e Atitude Positiva – formam o que Riso e Hudson chamam de Tríades Harmônicas. Neste caso, os eneatipos são agrupados de três em três, e cada um dos grupos prefere um dos estilos harmônicos. Todos os estilos têm valiosos pontos fortes e desafios associados a eles.

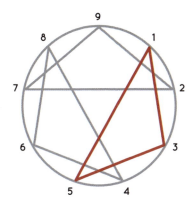

A TRÍADE DA COMPETÊNCIA.

Os tipos da Competência – Um, Três e Cinco – são inatos solucionadores de problemas. Quando se veem diante de um conflito ou desafio, seu propósito é permanecer cordial e começar de imediato a criar estratégias para encontrar soluções. As pessoas desses tipos são excelentes para fazer planos a longo prazo e manter a si mesmas ou um grupo no rumo certo para alcançar uma meta. O inconveniente é que elas podem ser excessivamente focadas e emocionalmente limitadas. Quando resolvemos conflitos de maneira analítica, evitamos sentir emoções imediatas ou observar a situação de um modo positivo. Isso significa que as pessoas desses tipos nem sempre levam em consideração as necessidades emocionais e o contexto mais amplo do problema quando tomam decisões, tornando algumas soluções menos proveitosas do que poderiam ser.

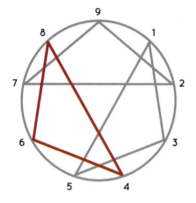

A TRÍADE DA REATIVIDADE.
Os Tipos Reativos – Quatro, Seis e Oito – são peritos em evocar emoções e sentimentos. Nos conflitos e desafios, as pessoas desses tipos desejam primeiro processar seus sentimentos e ouvir as reações emocionais dos outros, a fim de trazer à tona necessidades prementes. Isso possibilita que sentimentos difíceis, conflitos e desafios sejam revelados, dispersando a atmosfera de tensão para que possam seguir em frente. O inconveniente é que as pessoas desses tipos podem ter dificuldade em avançar; lidar com os sentimentos é inicialmente produtivo, mas tem o potencial de se estender em interminável conflito e processamento emocional, o que torna difícil enxergar o lado positivo da situação ou colocar as soluções em prática.

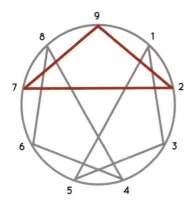

A TRÍADE DA ATITUDE POSITIVA. Os Tipos da Atitude Positiva – Dois, Sete e Nove – se destacam por enfrentar da melhor maneira possível qualquer desafio e por ter uma visão de conjunto – uma visão na qual o problema não é uma coisa tão importante. Ver os aspectos positivos e encontrar esperança até mesmo nos momentos sombrios nos ajuda a permanecer animados e seguir em frente quando estamos sob pressão. O inconveniente desse estilo é que ele pode conduzir à negação de que um conflito ou desafio esteja mesmo acontecendo. A negação torna difícil expor os sentimentos ou desenvolver soluções para o desafio. Deixar de lidar com um conflito pode fazer com que ele fique maior do que teria ficado se tivesse sido reconhecido imediatamente.

AS TRÍADES DAS RELAÇÕES COM OS OBJETOS

Todos nos relacionamos com outras pessoas de determinadas maneiras. O modo como nos relacionamos tende a ser inconsciente e estar profundamente arraigado em nós desde uma tenra idade. Descritos pela primeira vez na teoria psicodinâmica, os padrões de relações com os objetos podem ser categorizados em três grupos: apego, rejeição e frustração. Cada um desses grupos é um padrão dominante de relacionamento com os outros para três eneatipos. Quando nos identificamos em demasia com esses padrões, temos dificuldade em agir de uma maneira consciente nos nossos relacionamentos. Ao compreender esses padrões em nós mesmos, podemos começar a identificar quando nossas reações aos outros são provenientes das nossas estratégias de defesa psicológicas enraizadas, e não da interação propriamente dita.

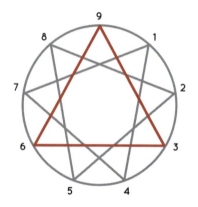

A TRÍADE DO APEGO reflete a maneira como todos nós nos apegamos e tentamos permanecer em um fluxo com o mundo à nossa volta. As pessoas dos Tipos Três, Seis e Nove tendem a se concentrar em se apegar a um determinado estado interior e depois mantê-lo. Isso varia entre o apego aos desejos dos outros, o apego ao apoio externo e o apego a um sentimento de paz interior. Os mecanismos de defesa das pessoas desses tipos se esforçam para manter as coisas exatamente do jeito que elas são.

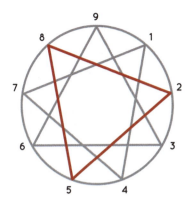

A TRÍADE DA REJEIÇÃO reflete as estratégias que usamos para sobreviver no mundo. As pessoas dos Tipos Dois, Cinco e Oito se sentem rejeitadas pelo mundo e acham que precisam levar alguma coisa para os outros. Entre as suas estratégias estão oferecer às pessoas seu amor e seus serviços, seu conhecimento e seu *know-how* e sua forte proteção. Os mecanismos de defesa desses tipos tentam conseguir aceitação ao mesmo tempo que partem do princípio de que não a receberão.

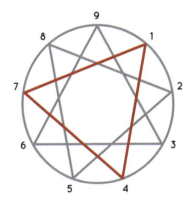

A TRÍADE DA FRUSTRAÇÃO descreve como todos nós tentamos obter o que queremos do mundo. As pessoas dos Tipos Um, Quatro e Sete tendem a se sentir cronicamente frustradas – como se nunca fossem capazes de satisfazer suas necessidades. Essa frustração pode derivar da falta de integridade do mundo, do desvio de outras pessoas de uma visão idealizada delas ou de uma escassez de emoções. Como defesa, as pessoas desses tipos buscam um ideal, em vez de saborear a experiência vivida.

OS TESTES E O SEU TIPO

Este livro não oferece um autoteste, mas fazer uma avaliação de tipo é um atalho que pode apontá-lo na direção de um eneatipo provável. Se não sabe qual é o seu tipo, apresentamos uma variedade de recursos que você poderá examinar antes de se aprofundar no conteúdo deste livro. Eis alguns deles:

TESTES PARA VERIFICAÇÃO DOS TIPOS DO ENEAGRAMA

- ► O RHETI (Riso-Hudson Enneagram Type Indicator) do The Enneagram Institute é uma avaliação do Eneagrama cientificamente validada, disponível em enneagraminstitute.com por 10 dólares.* Nós o recomendamos se você estiver interessado em um teste meticuloso, mas terá que ler a respeito do seu tipo no *site* ou em outra fonte, já que a avaliação não inclui um relatório detalhado.

- ► O Eneagrama na Tradição Narrativa oferece uma avaliação do Eneagrama baseada em parágrafos, validada em termos científicos, inicialmente desenvolvida pelo dr. David Daniels e por Virginia Price, Ph.D. Inclui vídeos educacionais a respeito dos resultados do seu tipo principal como uma ferramenta para guiar sua análise. Ela está disponível em enneagramworldwide. com por 10 dólares.

- ► Jerry Wagner, Ph.D., desenvolveu o WEPSS (Wagner Enneagram Personality Style Scales), uma avaliação cientificamente padronizada, confiável e validada. Além de fazer uma análise do seu tipo principal, ele explica suas conexões com outros tipos por

---

* Valores sujeitos a reajustes. (N. do T.)

meio de flechas e asas. Ele está disponível em WEPSS.com por 10 dólares.

- A Integrative Enneagram Solutions oferece um teste do Eneagrama usando a Integrative Intelligent Questionnaire Technology [Tecnologia de Questionário Integrativo Inteligente]. O teste e um breve relatório do tipo custam 15 dólares em integrative. co.za. A empresa também oferece uma avaliação baseada no Eneagrama de equipes e no nível de sinergia delas.

- Ginger Lapid-Bogda, Ph.D., desenvolveu um aplicativo com um teste de Eneagrama animado chamado Know Your Type [Conheça o seu Tipo]. O aplicativo também oferece vídeos, atividades de desenvolvimento pessoal e dicas para a interação com outros tipos. Você pode fazer o *download* em enneagramapp.com por 3,99 dólares.

OUTRAS MANEIRAS DE DESCOBRIR SEU TIPO

- **Obtenha *feedback* da família e dos amigos.** Às vezes, as pessoas que amamos enxergam nossos padrões com mais clareza do que nós mesmos. Não tenha medo de perguntar aos seus amigos íntimos quais são os pontos fortes, talentos e traços que você traz para o mundo.

- **Consulte um especialista.** Muitos professores de Eneagrama qualificados oferecem consultas que o ajudarão a descobrir o seu tipo. Como essas consultas são personalizadas, essa é, com frequência, uma maneira rápida de descobri-lo.

- **Leia as descrições apresentadas neste livro.** Se uma das descrições se destacar e você se identificar com ela, ela pode ser a do seu tipo!

▸ **Resultados de testes em comparação com o autoconheci-mento.** Em alguns casos, um teste do Eneagrama poderá indicar um tipo, mas talvez você se identifique mais com um tipo diferente depois de ler as descrições. Nenhum teste de Eneagrama é inteiramente preciso, e o autorreconhecimento é a melhor maneira de descobrir o seu tipo. Recomendamos que você leia a respeito dos seus três principais resultados nos testes, pois existem muitas razões pelas quais o resultado dos testes podem afirmar que você é um determinado tipo e você ser de outro: expectativas culturais ou familiares, papéis definidos em função do gênero, uma perspectiva mais positiva de certos traços e assim por diante. Procure o tipo com o qual você mais se identifica quando está no seu melhor momento e aquele com o qual se identifica quando está no seu pior momento.

AS ASAS

O Eneagrama pode ter apenas nove tipos básicos, mas cada tipo tem uma série de variações. As asas são um fator que traz diversidade à maneira como expressamos nosso eneatipo dominante. Sua asa é um dos tipos vizinhos do seu eneatipo. Por exemplo, se você é do Tipo Três, suas duas asas possíveis são o Tipo Dois e o Tipo Quatro. A maioria das pessoas tem apenas uma asa dominante, embora alguns professores do Eneagrama acreditem que algumas pessoas usam igualmente as duas asas.

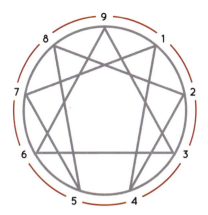

Sua asa não muda as motivações ou os traços essenciais do seu eneatipo dominante. No entanto, ela modifica a maneira como seu tipo se apresenta, adicionando um certo "tempero" de um tipo de personalidade secundário. Duas pessoas com o mesmo tipo e asas diferentes podem parecer bem distintas. Um Tipo Quatro com uma Asa Três, por exemplo, pode parecer dramático e exibicionista ao lado de um Tipo Quatro com uma Asa Cinco, mais reservado e com uma orientação intelectual.

As asas são mais fortes e mais visíveis em algumas pessoas do que em outras. Um Tipo Seis, por exemplo, com uma Asa Cinco ou Sete particularmente forte, terá um comportamento e traços de personalidade mais próximos do Tipo Cinco ou Sete, embora continue a ser um Tipo Seis dominante. Por outro lado, alguns Tipos Seis terão uma asa muito mais fraca, a ponto de ser difícil enxergar ou discernir a asa.

Uma vez que descubra sua asa, você pode escrever seu tipo completo de maneira abreviada como *(tipo dominante)a(tipo da asa)*. Por exemplo, um Tipo Seis com Asa Cinco é um 6a5, e um Tipo Seis com Asa Sete é um 6a7. As asas adicionam diversidade e precisão aos tipos do Eneagrama e ajudam a explicar parte da variedade que vemos dentro de cada tipo. À medida que introduzirmos cada tipo de personalidade, destacaremos suas asas e estabeleceremos distinções entre elas.

Os nove tipos

Os nove tipos do Eneagrama são motivados por diferentes desejos básicos e usam diferentes estratégias para satisfazer esses desejos. Eles também têm talentos e desafios distintos. Embora a maioria dos especialistas em Eneagrama concorde que as pessoas permanecem como um tipo único a vida inteira, qualquer pessoa pode manifestar versões saudáveis, médias e não saudáveis do seu tipo dominante em diferentes momentos da vida – ou até mesmo em diferentes momentos do dia.

As seguintes descrições apresentam uma visão geral do que motiva cada tipo de personalidade, bem como das várias maneiras como os tipos podem agir. Essas descrições também distinguem entre as manifestações mais adaptativas, equilibradas e presentes (saudáveis) do tipo; as manifestações cotidianas, funcionais e no "piloto automático"; e as manifestações desequilibradas e com dificuldades de cada tipo. Nenhum eneatipo existe em um vácuo, de modo que os perfis também iluminam as conexões de cada tipo com outros tipos por meio de asas e flechas.

Por Que Nove? *O uso do nove no sistema de personalidade moderno do Eneagrama está radicado em uma convergência de tradições espirituais. A ideia de nove manifestações da divindade, refletida em nove "essências" de humanidade, recua às Enéadas do filósofo Plotino. Ela também é refletida na Árvore da Vida cabalística, que tem dez sephiroth, ou esferas, das quais as almas se originam: nove tipos de pessoas, mais uma esfera reservada para o Messias. Ichazo sintetizou as esferas da Árvore da Vida com os Sete Pecados Capitais, mais dois pecados adicionais (originários das fontes primárias), para mapear nove tipos de personalidade ao redor do Eneagrama.*

TIPO UM: EM BUSCA DA INTEGRIDADE

As pessoas do Tipo Um do Eneagrama são motivadas por fortes princípios e um desejo de benevolência. Imaginam um mundo ético, justo e aprimorado – um mundo que poderia existir. Não existem duas pessoas do Tipo Um com a mesma visão. Algumas arregimentam aliados para reduzir a poluição e limpar o entorno, e outras sustentam a visão de como manter uma casa ideal, chegando aos detalhes da dobradura ideal das toalhas e da organização das prateleiras de condimentos. Você pode encontrar, e encontrará, pessoas do Tipo Um em todos os pontos do espectro político. O que as reúne é sua integridade e sua escrupulosidade.

FAIXA SAUDÁVEL

As pessoas equilibradas do Tipo Um estabelecem um exemplo para todos nós. Elas "são coerentes com seu próprio discurso" e vivem seus valores com um empenho fundamentado e concreto. Sua capacidade de instruir e impressionar as aspirações mais elevadas dos outros pode motivar muitos a seguir os ideais delas. Além de defensoras eficientes da mudança, seu senso de justiça e sabedoria as torna juízes maravilhosos e professores impactantes. São idealistas e continuamente tocadas pelos esforços da humanidade em direção ao aprimoramento e à verdade.

FAIXA MÉDIA

Enquanto as pessoas do Tipo Um equilibradas trazem aceitação e flexibilidade para seu trabalho e sua vida, as pessoas do Tipo Um na faixa média têm um senso permanente de responsabilidade pessoal. Sendo nobres e idealistas, elas se sentem insatisfeitas com a maneira como as coisas estão no momento. Isso faz com que lutem mais arduamente por causas e estilos de vida que personifiquem seus ideais; elas não estão em busca de um futuro melhor, e sim de um futuro perfeito. As pessoas do Tipo Um criticam os pequenos erros de qualquer pessoa, inclusive os próprios. Quando estressadas, sua moralidade e suas críticas aos que fazem a coisa "errada" levam os outros a se ressintirem delas.

TIPO 1
EM BUSCA DA INTEGRIDADE

FAIXA NÃO SAUDÁVEL

Quando especialmente desequilibradas, as pessoas do Tipo Um irão a extremos para impor sua versão da "Verdade" aos outros. Nesse ponto, elas podem justificar seus próprios erros e secretamente fazer o oposto do que preceituam. Esse comportamento pode conduzir a graves tendências obsessivo-compulsivas e colapsos nervosos.

É proveitoso para as pessoas do Tipo Um adotar uma perspectiva mais relaxada e paciente. Dedicar algum tempo a si mesmas e "deixar para lá" as pequenas coisas reduzirão a sensação de pressão e a autocrítica, possibilitando que desempenhem com mais eficácia sua missão.

ASAS

Tipo Um com Asa Nove (1a9): mais distantes e intelectuais, as pessoas desse Tipo Um são muitas vezes motivadas por ideais filosóficos. Quando equilibradas, elas impõem um senso de justiça imparcial.

Tipo Um com Asa Dois (1a2): mais ativas e interpessoais, as pessoas desse Tipo Um têm princípios que tendem a estar mais diretamente envolvidos com as pessoas. O desejo de ajudar reforça seu desejo de mudança.

FLECHAS

O Ponto de Estresse do Tipo Um é o comodista Tipo Quatro. Cansadas de ser responsáveis, as pessoas estressadas do Tipo Um sucumbem aos sentimentos depressivos ou se entregam aos seus desejos.

O Ponto de Segurança do Tipo Um é o espontâneo Tipo Sete. Nas situações estáveis, as pessoas do Tipo Um deixam que seu lado despreocupado e rebelde se solte. O crescimento em direção ao seu Ponto de Integração Sete possibilita que as pessoas do Tipo Um entrem em contato com a alegria, o humor e um sentimento de leveza que alivia seu esforço consciencioso.

TIPO DOIS: EM BUSCA DA CONEXÃO

As pessoas do Tipo Dois do Eneagrama são motivadas pelo desejo de se conectar com os outros por meio de relacionamentos amorosos, mutuamente estimulantes. Elas se importam profundamente com os outros e são versadas em reconhecer e satisfazer as necessidades deles. Podem, por exemplo, se informar e fazer perguntas a respeito da família de todos os colegas de trabalho com quem têm contato diário. Eles podem prestar assistência preparando refeições especiais, colocando seus amigos em contato uns com os outros para que se beneficiem dessa interação, proporcionando uma atenção personalizada ou oferecendo apoio sincero de várias outras maneiras.

FAIXA SAUDÁVEL

As pessoas do Tipo Dois equilibradas são abertas e naturalmente empáticas. Sintonizadas com os outros de modo intenso, elas são generosas e sabem como se conectar de maneira gentil com as pessoas. Extraem uma alegria altruísta dessas conexões. No ambiente de trabalho, elas se destacam no aconselhamento e no *coaching*. Seu altruísmo também se estende a si mesmas; elas valorizam o amor próprio e sabem quando e como cuidar de suas necessidades. Muitas pessoas do Tipo Dois na faixa saudável se tornam professores de cuidados pessoais e são livres para desenvolver talentos complementares, menos interpessoais, como a erudição ou o talento artístico.

A DESCOBERTA DO EU **41**

FAIXA MÉDIA

As pessoas do Tipo Dois na faixa média são calorosas e cordiais. Em vez de dar abertamente e de um modo abnegado, elas "são um pouco tendenciosas" e procuram necessidades nos outros que elas possam satisfazer. Isso pode se manifestar por meio dos cuidados tradicionais ou de outras formas de ajuda. Extraem um forte senso de valor ao agradar e servir aos outros e começam a desejar a aprovação em troca. As pessoas do Tipo Dois podem se tornar manipuladoras, criando e satisfazendo necessidades para os outros e querendo que dependam da sua ajuda. O comportamento dominador e arrogante pode fazer com que as pessoas ao redor fiquem irritadas com a "ajuda" do Tipo Dois e rejeitem as iniciativas.

FAIXA NÃO SAUDÁVEL

Quando não saudáveis, as pessoas do Tipo Dois buscam amor e reconhecimento a todo custo e coagirão agressivamente as outras pessoas a se sentir culpadas e aceitar a ajuda delas. As pessoas do Tipo Dois podem recorrer a um extremo comportamento que se caracteriza como "dar para receber" que pode levar ao assédio e à vitimização ou a um colapso físico devido à autonegligência.

É proveitoso para as pessoas do Tipo Dois criar o hábito de se sintonizar com seus sentimentos e impulsos físicos quando sentirem que sua energia está fluindo para fora. Conectar-se consigo mesmas possibilita o desenvolvimento de autênticas sintonias.

TIPO 2
EM BUSCA DA CONEXÃO

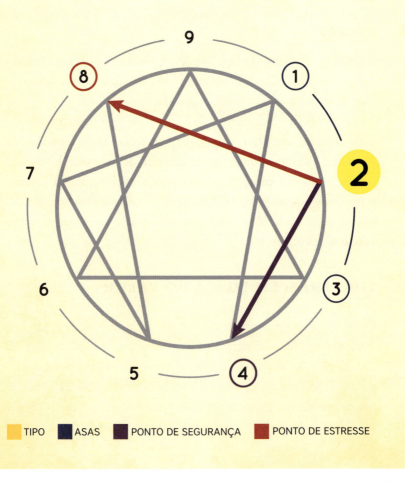

TIPO | ASAS | PONTO DE SEGURANÇA | PONTO DE ESTRESSE

A DESCOBERTA DO EU

ASAS

Tipo Dois com Asa Um (2a1). As pessoas desse Tipo Dois tendem a ser mais dedicadas e focadas diretamente no que deve ser feito. Elas sentem que sua ajuda está auxiliando uma causa. Algumas sentem orgulho da simplicidade.

Dois com Asa Três (2a3). As pessoas desse Tipo Dois são mais orientadas para a imagem, e sua ajuda, com frequência, é mais voltada para fora. Elas usam o charme e o bom gosto para cativar os outros.

FLECHAS

O Ponto de Estresse do Tipo Dois é o agressivo Tipo Oito. Quando esgotadas por cuidar das necessidades dos outros, as pessoas do Tipo Dois se tornam autoritárias e arrogantes.

O Ponto de Segurança do Tipo Dois é o autoconsciente Tipo Quatro. Nas situações estáveis, as pessoas do Tipo Dois se sentem à vontade ao expressar suas emoções mais difíceis. O crescimento em direção ao seu Ponto de Integração Quatro possibilita que as pessoas do Tipo Dois se conectem profundamente com quem elas são e equilibrem seu amor pelos outros com a autocura.

TIPO TRÊS: EM BUSCA DO VALOR

O Tipo Três do Eneagrama é movido pela necessidade de brilhar, exemplificar e personificar um senso de valor pessoal. Vemos pessoas do Tipo Três que são hábeis em muitas disciplinas. O Tipo Três inclui empresários eficientes e realizados, atletas, celebridades, guias espirituais, rebeldes e pais. Em qualquer área da vida onde é possível prosperar, você provavelmente tem

TIPO 3
EM BUSCA DO VALOR

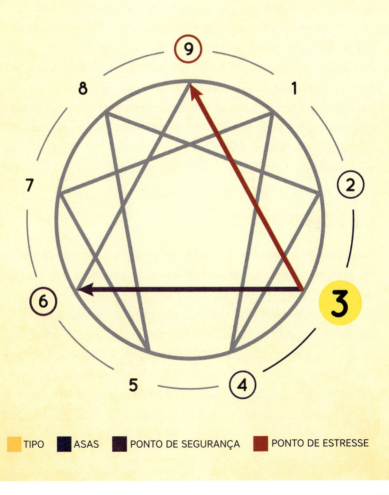

conhecimento de um Tipo Três que se destaca. Seguras de si e adaptáveis, as pessoas do Tipo Três impressionam com suas realizações e elegância. Servem muitas vezes de inspiração para que outros acreditem em si mesmos e sigam seus próprios sonhos.

FAIXA SAUDÁVEL

As pessoas do Tipo Três na faixa saudável brilham com um valor autêntico. Suas ações e seus comportamentos refletem o seu eu interior mais verdadeiro. Elas têm o coração aberto e combinam seus talentos com humildade e serviço. Têm consciência da sua adaptabilidade e naturalidade com uma autoapresentação flexível. Algumas pessoas do Tipo Três usam com alegria esse dom, empregando técnicas de *performances* para abrir os olhos das pessoas para um mundo de reluzentes possibilidades. Algumas empregam de modo persuasivo esse talento como oradores ou advogados de defesa. Esforçadas e orientadas para seus sonhos, as pessoas do Tipo Três equilibradas trazem à tona o que há de melhor em si mesmas e nos outros.

FAIXA MÉDIA

As pessoas do Tipo Três na faixa média são voltadas para metas muitas vezes realizadas, mas definem seu sucesso em função de parâmetros externos, e não do seu coração. Estão em sintonia com os desejos dos outros à sua volta e se adaptam facilmente às expectativas deles a fim de ser bem-sucedidas. São muito focadas em resultados e farão o que for necessário para concluir as coisas. Mesmo assim, a aparência delas pode começar a parecer sedutora demais. Podem dar a impressão de ser falsas e excessivamente voltadas para o *status*, ao mesmo tempo que perdem o contato com seus autênticos desejos pessoais em nome do sucesso e das aparências. Podem se tornar exibicionistas narcisistas e arrogantes com uma opinião megalomaníaca a respeito de si mesmas.

FAIXA NÃO SAUDÁVEL

As pessoas do Tipo Três na faixa não saudável buscam o sucesso a todo custo, indo a extremos para evitar o fracasso público, o que inclui comportamentos por baixo do pano que são "desonestos" e exploração dos outros. Nesse ponto, elas podem se tornar maldosas e vingativas, destruindo qualquer pessoa que possa ficar no caminho do seu sucesso e dos seus objetivos.

É importante para as pessoas do Tipo Três entrar em contato com seus próprios sentimentos e desejos, especialmente de maneiras íntimas. Escutar o coração derreterá a frieza das pessoas do Tipo Três e deixará fluir seu potencial mais profundo, poderoso e verdadeiro.

ASAS

Tipo Três com Asa Dois (3a2): mais expansivo e afável. As pessoas do Tipo Três com Asa Dois gostam de motivar e inspirar os outros. São hábeis em ser exemplos.

Tipo Três com Asa Quatro (3a4): mais reservado e refinado. As pessoas do Tipo Três com Asa Quatro gostam de se apresentar de uma maneira distinta. Muitas vezes têm um padrão profissional.

FLECHAS

O Ponto de Estresse do Tipo Três é o passivo Tipo Nove. Quando emocionalmente esgotadas por estar se esforçando para alcançar o sucesso, as pessoas do Tipo Três ficam apáticas e se anestesiam, desligando-se.

O Ponto de Segurança do Tipo Três é o dedicado Tipo Seis. Nas situações estáveis, as pessoas do Tipo Três deixam que sua ansiedade transpareça e podem se perguntar se são bons o bastante. O crescimento em direção ao seu Ponto de Integração Seis ajuda as pessoas do Tipo Três a reconhecer o valor de trabalhar para um bem maior e ser verdadeiros membros de uma equipe.

TIPO QUATRO: EM BUSCA DA IDENTIDADE

As pessoas do Tipo Quatro do Eneagrama são motivadas pelo desejo de conhecer plenamente a si mesmas. Elas estão em sintonia com a esfera da subjetividade. Dispostas a examinar profundamente suas emoções, elas possuem resiliência e criatividade. Por meio da arte, do ensino, da conexão emocional e de outras formas de envolvimento no mundo, as pessoas do Tipo Quatro indicam para os outros as verdades universais da vida interior. Essa autoconsciência muitas vezes resulta em formas de expressão significativas e singularmente pessoais. Reconhecem e compartilham a beleza que encontram nos mundos interior e exterior.

FAIXA SAUDÁVEL

Todas as pessoas do Tipo Quatro têm uma sensibilidade inata. Nas pessoas do Tipo Quatro na faixa saudável, essa sensibilidade é acompanhada pela resistência emocional. As pessoas do Tipo Quatro equilibradas são uma companhia solidária na hora de você enfrentar suas sombras; elas conhecem e aceitam o terreno. Seja ela um amigo, terapeuta, gerente ou outro confidente, a pessoa do Tipo Quatro é emocionalmente sincera e capaz de lidar com os sentimentos das outras pessoas com delicadeza e

TIPO 4
EM BUSCA DA IDENTIDADE

compaixão. Vivem de uma maneira sincera consigo mesmas. Sua capacidade de se conectar com seus sentimentos cria um fluxo natural de expressão. Com a ajuda de uma autodisciplina fundamentada, as pessoas do Tipo Quatro equilibradas podem criar vibrantes obras de arte e expressar verdades misteriosas, difíceis de definir.

FAIXA MÉDIA

Embora a criatividade das pessoas do Tipo Quatro equilibradas se baseie na realidade, as pessoas do Tipo Quatro na faixa média estão voltadas para a estética e o inventivo. Elas são sensíveis ao seu panorama emocional e cultivam determinados sentimentos como uma maneira de manter uma autoimagem. Muitas vezes criam fantasias – um modo de escapismo que possibilita que anseiem por um salvador e procurem por ele. Elas podem se tornar retraídas, emocionalmente melindrosas e hipersensíveis a qualquer ofensa percebida. Podem começar a sentir que os outros são "normais" e elas não são, fazendo com que se ressintam deles e se voltem para o autoisolamento, a permissividade e a impraticabilidade.

FAIXA NÃO SAUDÁVEL

As pessoas do Tipo Quatro, quando não saudáveis, se tornam progressivamente mais instáveis do ponto de vista emocional ao mesmo tempo que tentam preservar sua identidade. Podem ficar paralisadas, sentir ódio de si mesmas, ficar deprimidas e incapazes de agir. Nesse ponto, elas podem praticar abusos contra si mesmas e odiar os outros e correm o risco de sofrer colapsos emocionais.

É vantajoso para as pessoas do Tipo Quatro criar estrutura na sua vida. Empregar a autodisciplina, em vez de seguir seus sentimentos, possibilitará que elas façam o que realmente desejam fazer. O serviço e o envolvimento com os outros as ajudará a expressar seus talentos no mundo.

ASAS

Tipo Quatro com Asa Três (4a3): mais extravagantes, as pessoas do Tipo Quatro são capazes de produzir imagens e obras que expressam seu estilo pessoal enquanto se relacionam de maneira eficaz com as audiências.

Tipo Quatro com Asa Cinco (4a5): mais intelectuais, as pessoas do Tipo Quatro expressam suas ideias com firmeza, seguindo uma visão pessoal eclética.

FLECHAS

O Ponto de Estresse do Tipo Quatro é o Tipo Dois que gosta de agradar aos outros. Quando isoladas e inseguras consigo mesmas, as pessoas do Tipo Quatro avançam por meio da adulação e tentam satisfazer as necessidades dos outros para recuperar a conexão.

O Ponto de Segurança do Tipo Quatro é o consciencioso Tipo Um. Nas situações estáveis, as pessoas do Tipo Quatro se sentem à vontade para criticar os outros. O crescimento em direção ao seu Ponto de Integração Um faz com que as pessoas do Tipo Quatro se harmonizem com um sentimento de missão que se estende além do eu.

TIPO CINCO: EM BUSCA DA CLAREZA

As pessoas do Tipo Cinco no Eneagrama estão em busca de clareza e de um conhecimento absoluto. Elas são perceptivas e capazes de reunir ideias, ou gerar novas, em lampejos de discernimento que parecem surpreendentemente simples. Pense na simultânea simplicidade e inventividade de reconhecer a gravidade, ou de perceber que uma nota menor poderia formar um tom com um efeito completamente diferente. As pessoas do Tipo Cinco são inovadoras e inventivas, ficando encantadas ao aprender coisas novas a respeito das áreas de interesse, dedicadas à meticulosa experimentação da realidade e ao indagador processo de descoberta.

FAIXA SAUDÁVEL

As pessoas do Tipo Cinco na faixa saudável são altamente originais, com o potencial de fazer descobertas que promovem o avanço da humanidade. Desenvolvem teorias e observações perspicazes do mundo. Elas têm a mente aberta, e seu profundo entendimento gera compaixão pelos outros. Possuem uma objetividade que reconhece a transitoriedade da vida e a importância da verdade. Em vez de se apegar a ideias pessoais, elas procuram o que é real. Embora sejam muitas vezes especialistas, pesquisadores e pensadores, a sua curiosidade é vasta. Aprendem com o envolvimento e a experiência tanto quanto aprendem com o estudo.

TIPO 5
EM BUSCA DA CLAREZA

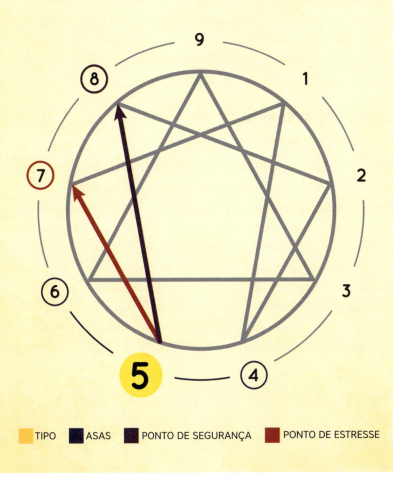

FAIXA MÉDIA

As pessoas do Tipo Cinco na faixa média permanecem intelectualmente estudiosas e mentalmente curiosas, mas sua perspectiva é mais limitada. Superfocadas, elas se tornam especialistas em qualquer coisa que as interesse. O foco delas é o aprendizado, e elas têm dificuldade para pôr suas ideias em prática. O envolvimento com o mundo exterior se torna cada vez mais difícil, e elas podem ficar desligadas, recolhendo-se a mundos e interesses mentais. Seu isolamento faz com que comecem a perder o contato com a realidade. É possível que se tornem mentalmente agitadas e paranoicas, desenvolvendo teorias radicais e concepções da realidade que podem provocar e perturbar os outros.

FAIXA NÃO SAUDÁVEL

As pessoas do Tipo Cinco na faixa não saudável tentam preservar sua visão da realidade a qualquer custo. Elas se desligam por completo dos outros – e das suas próprias necessidades. Nesse ponto, seu raciocínio altamente distorcido pode causar delírios, depressão e um comportamento autodestrutivo, deixando-as em uma situação de risco para acessos psicóticos.

As pessoas do Tipo Cinco se beneficiam ao desafiar a si mesmas a tomar medidas antes de terem feito uma reflexão completa de tudo. Elas nunca se sentem realmente prontas para agir; no entanto, agir é, muitas vezes, seu caminho mais fértil em direção à descoberta e à clareza.

ASAS

Tipo Cinco com Asa Quatro (5a4): essas pessoas do Tipo Cinco mais voltadas para dentro de si trazem uma conscientização subjetiva ao seu processo de análise e descoberta. Podem apreciar o que é pouco comum.

Tipo Cinco com Asa Seis (5a6): essas pessoas do Tipo Cinco mais voltadas para fora trazem um raciocínio rigoroso, orientado para o processo, para seus métodos analíticos. Podem preferir a sistematização ou métodos práticos.

FLECHAS

O Ponto de Estresse do Tipo Cinco é o disperso Tipo Sete. Quando cansadas de ser extremamente focadas, as pessoas do Tipo Cinco buscam fontes de emoções e estímulos no mundo exterior.
O Ponto de Segurança do Tipo Cinco é o confiante Tipo Oito. Nas situações estáveis, as pessoas do Tipo Cinco revelam seu lado controlador e agressivo. O crescimento em direção ao seu Ponto de Integração Oito possibilita que as pessoas do Tipo Cinco obtenham um sentimento mais forte de ancoramento e personificação, agindo em função das suas constatações.

TIPO SEIS: EM BUSCA DA ORIENTAÇÃO

As Pessoas do Tipo Seis no Eneagrama são movidas por uma busca pela orientação. Em sua melhor forma, elas se conectam com um senso claro de orientação e confiança em si mesmas, o que também ajuda a mostrar o caminho aos outros. Empenhadas e estáveis, as Pessoas do Tipo Seis são aliadas dedicadas e poderosas formadoras de equipes. Valorizam a colaboração e reconhecem que somos todos interdependentes. Na condição de líderes, elas cultivam um espírito de trabalho em equipe. É possível reconhecer o talento das pessoas do Tipo Seis por trás da tendência de organizações niveladas e não hierárquicas, nas quais os membros tomam decisões coletivamente e promovem uns aos outros.

FAIXA SAUDÁVEL

As pessoas do Tipo Seis na faixa saudável são muito corajosas. Reconhecem quando são chamadas para uma missão e trazem tenacidade e determinação para levá-la a cabo. Plenamente conscientes do seu medo e de sua apreensão, elas não deixam que isso as impeça de tomar medidas essenciais. Por meio dessa lição, elas ensinam os outros a confiar no seu GPS interior e distinguir a verdadeira orientação das de fontes menos perfeitas de recomendações – legitimamente encaradas com ceticismo. As pessoas do Tipo Seis são envolventes, calorosas e simpáticas. Os outros adoram ficar por perto devido ao seu senso de humor e à sua comunicabilidade.

FAIXA MÉDIA

Embora as pessoas do Tipo Seis na faixa saudável acreditem que as coisas darão certo, as pessoas do Tipo Seis na faixa média se preocupam com a possibilidade de alguma coisa dar errado. São trabalhadores diligentes que criam sistemas e detectam problemas nas organizações. Elas começam a procurar fontes externas de segurança e orientação. Ao se comprometer com um excesso de atividades, as pessoas do Tipo Seis podem ficar sobrecarregadas e tentar fazer muitas coisas ao mesmo tempo. Começam a testar aquilo com o que se comprometeram para ver se é confiável.

TIPO 6
EM BUSCA DA ORIENTAÇÃO

A ambivalência, a reatividade e os comportamentos ambíguos fazem com que os outros fiquem inseguros com relação à posição das pessoas do Tipo Seis. A desconfiança e a paranoia acarretam um comportamento hostil e defensivo, que culpa os outros e infunde medo a eles.

FAIXA NÃO SAUDÁVEL

As pessoas do Tipo Seis desequilibradas tentarão preservar sua segurança a qualquer custo. Elas se tornam progressivamente ansiosas, inconstantes e com medo das outras pessoas, ao mesmo tempo que buscam uma figura de autoridade ainda mais forte. Nesse ponto, elas podem ficar perturbadas e loucamente instáveis, o que as deixa em uma situação de risco, podendo ser atraídas por cultos e ter um comportamento autodestrutivo.

É proveitoso para as pessoas do Tipo Seis adotar práticas que mitiguem a tagarelice mental, o que possibilita que tenham acesso ao seu sentimento interior de para onde ir e o que fazer. Em vez de consultar outras pessoas em busca de conselhos, elas podem adquirir o hábito de consultar primeiro a si mesmas.

ASAS

Tipo Seis com Asa Cinco (6a5): essas pessoas do Tipo Seis podem ter uma tendência acadêmica e são muitas vezes atraídas para sistemas de pensamento, métodos ou filosofias. Parecem mais sossegadas e racionais.

Tipo Seis com Asa Sete (6a7): essas pessoas do Tipo Seis estão muitas vezes interessadas em explorar e participar das coisas, buscando orientação por meio da interação. São exteriormente mais ativas e dispersas.

FLECHAS

O Ponto de Estresse do Tipo Seis é o prepotente Tipo Três. Quando se cansam de se sacrificar pelo bem coletivo, as pessoas do Tipo Seis estressadas chamam a atenção para si mesmas exibindo-se.

O Ponto de Segurança do Tipo Seis é o sereno Tipo Nove. Nas situações estáveis, as pessoas do Tipo Seis trocam o trabalho árduo pelos devaneios e pela ociosidade. O crescimento em direção ao seu Ponto de Integração Nove possibilita que as pessoas do Tipo Seis baixem de fato a guarda e acreditem que as coisas vão dar certo.

TIPO SETE: EM BUSCA DA LIBERDADE

As pessoas do Tipo Sete no Eneagrama são motivadas pela busca da liberdade e da possibilidade, o que pode levar os outros a achar muito prazeroso estar na presença delas. Têm interesses variados e gostam de experimentar coisas novas. Até mesmo algo simples como ir até o supermercado pode se tornar uma aventura aos olhos de uma pessoa do Tipo Sete. Não fosse a energia das pessoas do Tipo Sete no mundo, não teríamos férias ou festas. Elas mostram a todos que o mundo pode ser um bufê repleto de experiências a ser exploradas. Trazem à vida espontaneidade, diversão e um sentimento ilimitado de alegria.

FAIXA SAUDÁVEL

As pessoas do Tipo Sete na faixa saudável são profundamente inspiradas por todas as coisas maravilhosas da vida. Polivalentes, elas são muito produtivas e realizadas. Com frequência integram ideias e habilidades de várias disciplinas, criando híbridos surpreendentes. Elas se destacam no *brainstorming* e no planejamento. Procuram viver uma vida de realização, apreciando cada momento que vivenciam. As pessoas do Tipo Sete equilibradas pegam situações negativas e as transformam em positivas. Elas são pessoas altamente resilientes capazes de encontrar a liberdade pessoal até mesmo em circunstâncias angustiantes.

FAIXA MÉDIA

As pessoas do Tipo Sete na faixa média são ousadas e procuram ter uma grande variedade de experiências. A variedade e a novidade são importantes para elas, e suas tentativas de experimentar tudo faz com que percam o foco. Para fugir da ansiedade e da tristeza, elas podem, às vezes, se encarregar de coisas demais, saltando de uma para outra e deixando de terminar o que começaram. Uma vida de excessos pode gerar ceticismo: "Eu tenho ou fiz todas essas coisas, então por que me sinto tão vazio?". O seu egocentrismo, suas exigências e seu comportamento insensível podem deixar os outros frustrados.

FAIXA NÃO SAUDÁVEL

As pessoas do Tipo Sete na faixa não saudável procuram evitar a dor a qualquer custo. Fogem de todas as responsabilidades e participam de atividades radicais e arriscadas a fim de buscar estímulo. Isso pode causar um comportamento inconstante e perigoso. As pessoas do Tipo Sete na faixa não saudável estão em situação de risco e podem adquirir vícios, bem como sofrer de depressão e de um completo esgotamento.

TIPO 7
EM BUSCA DA LIBERDADE

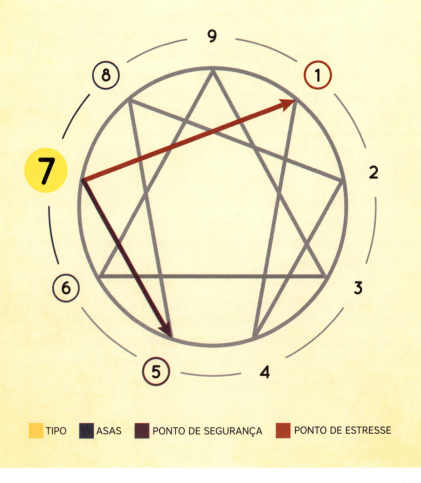

Elas são favorecidas quando canalizam seu foco em um pequeno número de atividades, em vez de executar várias tarefas ao mesmo tempo. As pessoas do Tipo Sete muitas vezes descobrem que conseguem ser mais produtivas e assentadas dessa maneira. Práticas como a atenção plena (*mindfulness*) também podem ajudar a trazer o foco para o presente.

ASAS

Tipo Sete com Asa Seis (7a6): com uma vibração mais leve, essas pessoas do Tipo Sete cativam os outros e se relacionam facilmente com eles. Muitas vezes elas gravitam em direção a ideias místicas como a sincronicidade.

Tipo Sete com Asa Oito (7a8): com uma abordagem mais pragmática, essas pessoas do Tipo Sete não têm medo de ser ativas e realizar qualquer trabalho. Elas tendem a ser ambiciosas e objetivas.

FLECHAS

O Ponto de Estresse do Tipo Sete é o crítico Tipo Um. Quando estão esgotadas por ser incessantemente positivas, as pessoas do Tipo Sete se tornam intolerantes com relação aos outros e a si mesmas.

O Ponto de Segurança do Tipo Sete é o focado Tipo Cinco. Nas situações estáveis, as pessoas do Tipo Sete se distanciam dos esmagadores estímulos dos quais se cercaram. O crescimento em direção ao seu Ponto de Integração Cinco permite que as pessoas do Tipo Sete se concentrem nos projetos específicos pelos quais se interessam.

TIPO OITO: EM BUSCA DO PODER

As pessoas do Tipo Oito são motivadas pelo desejo de ter poder e causar impacto. Elas adotam um posicionamento sem limites diante da vida e apreciam o risco. Por causa disso, agem de maneiras que trazem muitas consequências. As pessoas do Tipo Oito têm uma energia evidente, que alguns chamam de "presença de comando"; quando entram em uma sala, as pessoas notam. Extremamente autoconfiantes, as pessoas do Tipo Oito podem muitas vezes ser encontradas em posições de liderança, seja nos negócios, na família, na sociedade ou em outras esferas de influência. São pessoas de ação que valorizam os resultados e dizem o que pensam.

FAIXA SAUDÁVEL

As pessoas do Tipo Oito na faixa saudável são sinceras e corajosas. Usam sua presença e sua força dominantes para o bem, defendendo aqueles que são mais fracos do que elas. As pessoas do Tipo Oito equilibradas são protetores naturais, ficando de olho nas pessoas com quem se importam e empregando sua influência para orientar e inspirar os outros. Elas têm muita energia, resiliência e determinação, tanto físicas quanto psicológicas. Embora sejam determinadas e poderosas, elas sabem quando exercer compaixão e controle.

FAIXA MÉDIA

As pessoas do Tipo Oito na faixa média sentem que precisam ser firmes e fortes o tempo todo. Calejadas, dinâmicas e espertas, elas usam sua força e seu *know-how* criativo para assumir o controle de situações e gerenciar recursos. São versadas em

A DESCOBERTA DO EU **63**

TIPO 8
EM BUSCA DO PODER

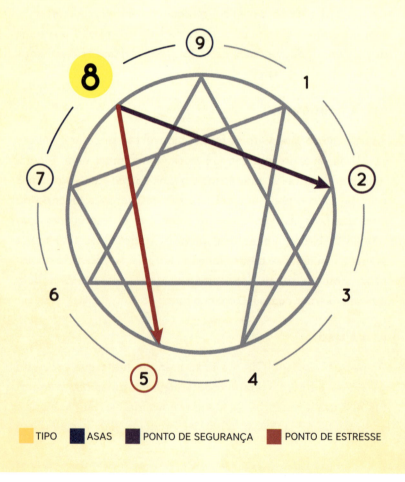

TIPO ASAS PONTO DE SEGURANÇA PONTO DE ESTRESSE

criar e manter empreendimentos, seja fundar uma empresa ou assumir a liderança da sua unidade familiar. Elas podem se tornar autoritárias, confrontando as pessoas e intimidando-as ou até mesmo ameaçando-as a fim de conseguir se impor. Os outros podem ficar com medo delas e começar a se opor à necessidade de controle que elas têm.

FAIXA NÃO SAUDÁVEL

As pessoas do Tipo Oito na faixa não saudável recorrerão a quaisquer medidas para permanecer no controle, inclusive a um possível comportamento antiético e criminoso. Nesse ponto, sua necessidade de poder e dominância faz com que ajam de uma maneira temerária. As pessoas do Tipo Oito na faixa não saudável podem ser altamente destrutivas e antissociais.

É proveitoso para as pessoas do Tipo Oito prestar atenção à sua energia e se conter quando estiverem despendendo mais do que precisam. Sua verdadeira força brilha com mais intensidade quando não se esforçam tanto. A dedicação, a assistência e os relacionamentos ajudam os Tipos Oito a entrar em contato com seu grande coração.

ASAS

Tipo Oito com Asa Sete (8a7): divertidas e travessas, essas pessoas do Tipo Oito vivem uma vida extravagante e expressam seu lado brilhante. São externamente ambiciosas e valorizam sua independência.

Tipo Oito com Asa Nove (8a9): mais delicadas e estáveis, essas pessoas do Tipo Oito detêm um firme senso de confiança e estabilidade. Elas são, muitas vezes, discretamente protetoras.

FLECHAS

O Ponto de Estresse do Tipo Oito é o desligado Tipo Cinco. Quando a ação e o esforço as deixam desgastadas, as pessoas do Tipo Oito recuam para o isolamento e a criação de estratégias. O Ponto de Segurança do Tipo Oito é o protetor Tipo Dois. Nas situações estáveis, as pessoas do Tipo Oito demonstram sua carência e se apoiam nas pessoas com quem têm intimidade. O crescimento em direção ao seu Ponto de Integração Dois leva as pessoas do Tipo Oito a se conectar com a dedicação sincera, o amor e a generosidade que existem por baixo da sua aparência inflexível.

TIPO NOVE: EM BUSCA DA HARMONIA

As pessoas do Tipo Nove no Eneagrama são motivadas pelo desejo de harmonia. Elas são capazes de enxergar a interligação entre todos os aspectos da vida – o maravilhoso e o difícil, a humanidade, a natureza e o cosmos. Tudo está unido em um todo simbiótico, como se equilibrado em uma sinfonia. Quando conectadas a essa verdade, as pessoas do Tipo Nove sentem uma permanente paz interior. Levam esse senso de serenidade às suas interações com o mundo. Elas se destacam em deixar as pessoas à vontade e criar ambientes nos quais todos se sentem bem-vindos.

FAIXA SAUDÁVEL

As pessoas do Tipo Nove na faixa saudável oferecem uma presença reconfortante e estável. Sua profunda ligação com o eu e com os outros faz com que sejam uma fonte de calma e força silenciosa. Convicções poderosas e arraigadas escondem sua

TIPO 9
EM BUSCA DA HARMONIA

A DESCOBERTA DO EU

natureza delicada. Ninguém consegue intimidar uma pessoa do Tipo Nove equilibrada. Sua natureza tolerante e compreensiva as torna excelentes mediadores que são capazes de escutar múltiplos lados da história e empatizar com diferentes perspectivas. Elas muitas vezes ascendem à liderança porque são muito simpáticas e capazes de resolver divergências.

FAIXA MÉDIA

Enquanto as pessoas do Tipo Nove na faixa saudável incorporam todos os aspectos da vida ao seu sentimento de paz interior, as pessoas do Tipo Nove na faixa média sentem que precisam evitar o conflito e se dar bem com os outros em todos os momentos. Bondosas e complacentes, sua natureza harmoniosa e agradável as torna amigos ou colegas amáveis. Elas concordam com o que as pessoas à sua volta desejam a fim de manter a paz, desconsiderando suas próprias necessidades e seus desejos. Quando as pessoas do Tipo Nove "se desligam", elas se tornam progressivamente alheias aos outros e distantes do mundo à sua volta. A extrema passividade e a indiferença podem fazer com que as outras pessoas fiquem frustradas com elas.

FAIXA NÃO SAUDÁVEL

As pessoas do Tipo Nove na faixa não saudável não medirão esforços para evitar o conflito e se dissociam a ponto de se tornar extremamente negligentes com relação a si mesmas e aos outros. Nesse ponto, elas podem ficar completamente entorpecidas, confusas e separadas de si mesmas.

É proveitoso para as pessoas do Tipo Nove cultivar a assertividade. Quando perceberem que estão concordando com os outros, elas podem perguntar a si mesmas se realmente não se importam ou se têm uma opinião que não expressaram. Ao prestar atenção aos seus próprios desejos, elas podem identificar e perseguir as metas que são importantes para elas.

ASAS

Tipo Nove com Asa Oito (9a8): mais ancoradas e integradas, essas pessoas do Tipo Nove muitas vezes emanam um sentimento de serenidade descontraída. São obstinadas e se zangam com mais rapidez quando provocadas.

Tipo Nove com Asa Um (9a1): mais imponentes e idealistas, essas pessoas do Tipo Nove muitas vezes manifestam sua atenção à integridade por meio de ideias e da imaginação. Para quem as observa, elas parecem mais amáveis.

FLECHAS

O Ponto de Estresse do Tipo Nove é o ansioso Tipo Seis. Quando estressadas, as pessoas do Tipo Nove se libertam da sua calma típica e ficam nervosas, preocupando-se e examinando o ambiente em busca de possíveis ameaças.

O Ponto de Segurança do Tipo Nove é o determinado Tipo Três. Nas situações estáveis, o desejo de atenção das pessoas do Tipo Nove se manifesta, e elas adotam um comportamento exibicionista. O crescimento em direção ao seu Ponto de Integração Três ajuda as pessoas do Tipo Nove a aparecer no mundo de uma maneira autêntica e admirável.

Em direção à autodescoberta

Agora que examinamos os nove tipos do Eneagrama, bem como os diferentes componentes do sistema, talvez um dos tipos se pareça muito com você, ou talvez alguns tipos diferentes pareçam escolhas possíveis. Se esse for o caso, experimente-os à medida que for lendo o livro e veja com qual deles você se identifica mais.

Muitas pessoas afirmam ter uma sensação de alívio quando descobrem seu eneatipo, porque finalmente têm uma explicação para o motivo pelo qual sempre caem nas mesmas armadilhas. Por meio do Eneagrama, as pessoas não apenas descobrem que a culpa dos seus desafios de personalidade não é delas, como também obtêm vislumbres dos seus maiores talentos e possibilidades. Individualmente, podemos parar de nos culpar pelas nossas deficiências e começar a enxergar a beleza do nosso verdadeiro eu.

Fique de olhos abertos e continue a ler este livro com um espírito de autodescoberta. À medida que for aprendendo mais a respeito do seu tipo dominante no Eneagrama, você obterá acesso a um roteiro dos seus talentos e desafios. Começará a notar quando surgirem os mecanismos de defesa do seu tipo – a mentalidade do "tipo médio" que o mantêm imobilizado em padrões limitantes de comportamento. Registrar suas reações e ações quando elas surgirem é o primeiro passo em direção a viver uma vida com liberdade e atenção plena. Você perceberá que, em vez de seguir o roteiro que costuma seguir, você pode fazer uma escolha diferente.

Nos próximos capítulos, vamos dar uma olhada em como os diferentes tipos atuam no local de trabalho, nos relacionamentos e no cotidiano. Você obterá ferramentas para entender seu tipo no contexto existente e interagir com os outros de uma maneira clara, empática e produtiva. Ao investigar como o Eneagrama pode ser usado no mundo real, você poderá descobrir mais coisas a respeito de si mesmo e das inúmeras maneiras pelas quais esse sistema pode ajudá-lo a crescer.

O ENEAGRAMA NA PRÁTICA

Como acabamos de discutir, quando você identifica seu tipo, o Eneagrama lhe apresenta um roteiro – aplicável às suas metas pessoais e circunstâncias de vida específicas. A coisa mais poderosa que isso faz é lhe mostrar seu potencial supremo.

Sem trabalhar ativamente no crescimento pessoal, muitas pessoas passam pela vida apenas reagindo às circunstâncias externas à sua volta, tentando sobreviver. Quando você está em modo de sobrevivência, é possível dar olhadelas furtivas nos seus dons e talentos, mas é fácil retroceder aos antigos padrões nos quais você simplesmente se contenta com o que existe. Ao descobrir qual é seu eneatipo, você tem uma incrível oportunidade de levar seu potencial supremo direto para sua consciência. Esse tipo de conscientização ajuda a motivá-lo a agir para se tornar a melhor versão de você, e mais feliz. Quando está mais saudável e mais presente, você tem as informações necessárias para tomar decisões que o empoderam de maneira ativa, não importa quais sejam as circunstâncias da sua vida.

Assim que aprender os conceitos básicos e começar a praticá-los, perceberá que não é difícil interpretar o Eneagrama. No entanto, com nove tipos diferentes (sem mencionar as asas e as flechas de cada tipo, bem como um aglomerado de diferentes tríades), às vezes isso parece um pouco confuso, sobretudo no início. Para ajudá-lo a começar, vamos conhecer Julia.

Conheça Julia

Julia tem 33 anos e construiu uma vida que muitas pessoas invejariam. Ela tem um ótimo emprego, um namorado solidário e a capacidade de arcar com o seu próprio apartamento em uma cidade grande e com alto custo de vida. Mora a meia hora de carro do subúrbio onde cresceu. Julia sente que tem muitas opções excelentes na vida. Pode visitar seus pais todos os fins de semana, mas também pode viver uma vida animada em um ambiente urbano. Com um grande círculo de amigos, que inclui colegas de trabalho e alguns colegas de escola, com os quais passou a infância e a adolescência, Julia aproveita as horas depois do trabalho com as inúmeras oportunidades de entretenimento que existem na sua cidade.

Embora, no momento, as coisas estejam indo bem na vida de Julia, ela também está enfrentando alguns desafios pessoais. Ela gostaria de melhorar algumas áreas da sua vida.

TRABALHO

Depois de exercer uma função administrativa durante alguns anos, Julia foi promovida para uma posição de gerência na empresa de *branding* para a qual trabalha há cerca de dois anos. Hoje, ela controla uma equipe de *designers* gráficos. Julia ficou frustrada por ser "apenas uma administradora" depois de se esforçar muito para se formar na faculdade, mas acabou se revelando perfeita para a função. Ela é talentosa no tipo de trabalho que requer que faça muitas coisas diferentes e lida facilmente com as complexas tarefas administrativas. Seu senso de humor natural e a facilidade em lidar com as pessoas convenceram seus chefes a promovê-la quando um cargo de gerência ficou disponível. Julia descobriu que adora motivar e animar sua equipe. Seu otimismo e sua energia são muito adequados a quem lidera uma equipe.

Algumas vezes, no entanto, Julia se sente frustrada com as pessoas que ela gerencia. Quase todos os talentosos e criativos *designers* que trabalham para Julia são mais introvertidos do que ela e não conseguem acompanhar seu ritmo rápido. Produzem o trabalho mais devagar do que ela gostaria, às vezes deixando de cumprir os prazos finais que lhes são impostos. Muitos preferem manter a porta das suas salas fechadas em vez de conversar com ela. Julia adora seus funcionários, mas fica facilmente entediada quando não consegue trabalhar com a rapidez que desejaria e fazer todas as coisas que gostaria. Em dias particularmente difíceis, Julia passa horas fazendo buscas *on-line* de empregos que ela acha que seriam mais divertidos e melhor remunerados ou se queixando com seus velhos amigos em mensagens no Facebook. Ela tem devaneios a respeito das coisas maravilhosas que um novo emprego proporcionaria, mas também se sente um pouco culpada ao pensar em deixar sua família do trabalho.

RELACIONAMENTOS

Julia conheceu seu namorado, Miguel, há pouco menos de um ano. Apesar de ter uma vida social e amorosa ativa, Miguel é a primeira pessoa que Julia namora sério depois do namorado que teve na faculdade. Antes de conhecer Miguel, ela passava muito tempo consultando aplicativos e *sites* de namoro e marcando encontros em eventos e bares que frequenta. Mas ela nunca foi além de um namoro casual. Saiu com muitas pessoas interessantes, mas estava sempre se perguntando se não haveria alguém melhor e tinha receio de se comprometer. Mas agora é diferente: ela realmente valoriza a personalidade atenciosa, firme e solidária de Miguel, que fez com que ela sossegasse um pouco. E o fato de sua família e seus amigos o adorarem também ajuda. Mas Miguel deseja elevar esses privilégios a outro patamar. Sonha em morar com Julia. Ele também é um profissional bem-sucedido e sabe que podem comprar uma casa a uma distância razoável do local de trabalho de ambos. Ele está interessado em se estabelecer em breve, desejando o compromisso de se casar e ter filhos. Julia ama Miguel, mas está sempre se perguntando se ele é de fato "o homem da sua vida". Ela se sente ansiosa com relação a se "amarrar" a uma pessoa quando tantas outras maravilhosas podem estar disponíveis. Embora ela goste da ideia de morar em um lugar maior, também se pergunta se deseja ficar presa de maneira permanente à cidade onde viveu a vida inteira, quando existem muitos outros lugares divertidos (lugares que ela já explorou nas férias). Ela também se preocupa com o fato de que comprar uma casa limite sua carreira e as empresas que poderiam contratá-la. E, embora goste de procurar colocações em outras cidades, ela não sabe ao certo como uma mudança afetaria seu relacionamento.

O QUE JULIA ESTÁ ESPERANDO OBTER DO ENEAGRAMA?

Depois de descobrir o Eneagrama, Julia espera que esse novo conhecimento de si mesma e dos outros vá ajudá-la a alcançar certos objetivos. Ela tem a intenção de usar o sistema para melhorar sua vida profissional e seu relacionamento das seguintes maneiras.

NO TRABALHO

Julia deseja aprender a trabalhar de modo mais eficaz com os *designers* criativos que ela gerencia – pessoas cuja personalidade é muito diferente da sua. Ela quer aprender a gerenciá-los de uma maneira que os faça cumprir seus prazos finais e continuem interessados no trabalho. Também quer que eles se divirtam mais no escritório.

Em vez de se distrair com as redes sociais no trabalho, Julia gostaria de usar sua energia e sua criatividade para encontrar e se encarregar de mais projetos que seriam interessantes para ela. Ela sabe que sua personalidade divertida e espontânea a impedem de finalizar os projetos que começa e gostaria de ter estrutura e apoio da alta administração.

Julia também gostaria de tentar uma promoção na empresa em que trabalha ou verificar quais seriam as outras posições existentes no mercado que atua. Como foi discutido anteriormente, ela está pesquisando e se candidatando a empregos tanto na cidade em que mora quanto em outras cidades, desejando manter abertas suas opções profissionais.

NOS RELACIONAMENTOS

Embora Julia ame Miguel, ela fica ansiosa quando pensa a respeito de assumir um compromisso maior no relacionamento. Ela gostaria de descobrir se deve ficar com ele ou seguir em frente e tentar encontrar um parceiro diferente, talvez um que não queira se estabelecer tão rápido.

Na medida em que Miguel fala de casamento e de comprar uma casa, Julia percebe que precisa ter uma conversa sincera com ele a respeito das suas inquietações e saber como ele se sente com relação aos desejos dela.

OS PENSADORES QUE FUNDARAM O SISTEMA E SEUS CONTEMPORÂNEOS

Este não seria um bom livro sobre Eneagrama se não reconhecesse os pensadores que fundaram o sistema, bem como seus contemporâneos. Eis alguns dos grandes nomes:

G. I. Gurdjieff ensinou o Eneagrama como um modelo de processos, associando-o à dança sagrada. Ele ensinou um método de prática espiritual chamado o Quarto Caminho, ou o "Caminho do Homem Astuto", que envolvia trabalhar nos três Centros de modo simultâneo – o do Instinto, o do Sentimento e o do Raciocínio – vivendo ao mesmo tempo uma vida comum. Em uma abordagem moderna sobre o Eneagrama cinestésico, os treinamentos do professor brasileiro Urânio Paes incorporam o trabalho de movimento em torno do símbolo de nove pontas. Além disso, Russ Hudson às vezes dirige retiros junto com o professor do movimento de Gurdjieff, Jason Stern.

Oscar Ichazo: Ichazo foi quem sintetizou o símbolo do Eneagrama e a categorização psicoespiritual (embora suas ideias sobre os nove tipos divirjam de muitas interpretações modernas). Ele descreveu cada tipo como uma "fixação do ego" que tende a expressar um pecado ou desequilíbrio particular. Sua criação dos nove tipos foi influenciada pela pesquisa sobre vários outros sistemas espirituais. Sem Ichazo, não haveria nenhum Eneagrama da personalidade.

Claudio Naranjo: Naranjo escreveu livros que apresentam um exame detalhado dos mecanismos de defesa e padrões psicológicos dos nove tipos. Ele encara as estruturas de caráter dos tipos como diferentes formas de neurose, e suas descrições enfatizam o seu lado patológico em vez de abordar quaisquer atributos positivos. Naranjo também desenvolveu a ideia dos "subtipos", descrevendo três instintos e a maneira como eles interagem com cada tipo. Qualquer tipo pode ter qualquer instinto dominante. A psicóloga Beatrice Chestnut expandiu o trabalho de Naranjo com os subtipos.

Don Riso e Russ Hudson: Riso foi o primeiro a detalhar a "área cinzenta" do tipo escrevendo a respeito de nove Níveis de Desenvolvimento que descrevem o pleno potencial do tipo, desde a doença mental grave à presença e à consciência iluminadas. Hudson trabalhou com Riso para integrar uma ênfase Gurdjieffiana à prática espiritual e ao equilíbrio dos Centros. Ele continua a ser um dos mais renomados professores do Eneagrama. O The Enneagram Institute dá continuidade ao legado de Riso e Hudson por meio de seminários e treinamentos.

Helen Palmer e David Daniels: os livros de Palmer sobre o Eneagrama estão acessíveis para um vasto público, descrevendo os tipos de Eneagrama no cotidiano e incluindo as esferas do relacionamento e da carreira. Muitos autores seguiram seus passos e escreveram a respeito das aplicações do Eneagrama em várias situações, como o aprendizado em sala de aula e a seleção de emprego. Palmer, Daniels e sua escola do Eneagrama ajustaram a abordagem da Tradição Narrativa do Eneagrama – uma tradição que recua a Naranjo, usando painéis de pessoas que compartilham tipos de tríades para iluminar os padrões de tipos nas suas próprias palavras.

Um exame mais minucioso

Depois de fazer um teste do Eneagrama e ler com atenção as descrições dos diferentes tipos, Julia se identificou com o Tipo Sete do Eneagrama, com Asa Seis. Vamos aprender mais detalhes a respeito dos tipos nos próximos capítulos, mas por ora vamos nos concentrar no que o Tipo Sete e um 7a6 podem fazer no caso de Julia.

TIPO DO ENEAGRAMA: SETE

Sendo um Tipo Sete do Eneagrama, Julia está particularmente sintonizada para procurar a liberdade e possibilidades. Podemos ver isso nas inúmeras maneiras pelas quais Julia saboreia e aprecia sua vida. Ao escolher viver em uma grande cidade, ela é capaz de se entreter com um sem-número de atividades todos os fins de semana. Seu grande círculo de amigos proporciona a ela a chance de viver em contato com muitas pessoas diferentes. Seu apartamento está repleto de coleções e das curiosidades que ela gosta de comprar. Ao morar perto, porém não ao lado, da sua família, ela concede a si mesma a liberdade de ter uma vida independente com a opção de poder passar algum tempo com eles quando decide fazer isso.

Muitos dos pontos fortes do Tipo Sete entram em jogo na carreira de Julia. Tanto nos seus empregos anteriores quanto no atual, Julia impressionou seus superiores com sua capacidade de lidar, sem esforço, com várias tarefas ao mesmo tempo. As pessoas do Tipo Sete na faixa saudável são altamente produtivas e capazes de trabalhar com muitas disciplinas. Ela sente prazer com seu trabalho e sabe como tornar seu emprego divertido.

Isso conduz ao seu talento interpessoal de levar os outros no seu local de trabalho a se divertir também. Julia está sempre sorrindo, mesmo durante os dias mais difíceis no escritório, e sabe como motivar os funcionários levando-os a se sentir bem. Ela dá festas que fomentam a motivação da equipe.

Vemos também o prazer e o desejo de liberdade na sua vida amorosa. Embora tenha passado vários anos sem ter um relacionamento mais sério, ela demonstrou uma contínua motivação e versatilidade ao encontrar possíveis pretendentes por meio de aplicativos, de namoro on-line e da comunidade local. Ela mostrou resiliência, outro traço nas pessoas do Tipo Sete na faixa saudável, ao se recuperar quando sua vida amorosa não saiu como planejado. Como parceira de Miguel, Julia leva um sentimento de aventura e emoção ao relacionamento, introduzindo espontaneidade na vida acomodada dele.

Os desafios de Julia também são típicos das pessoas do Tipo Sete na faixa saudável média. As Pessoas do Tipo Sete são naturalmente otimistas, mas podem ficar frustradas e céticas quando a vida não se desenvolve da maneira positiva como idealizaram. A vida de Julia é, de um modo geral, positiva, mas ela se sente frustrada com relação aos aspectos difíceis, como liderar colegas de trabalho mais introvertidos e com um ritmo mais lento e ter um relacionamento com uma pessoa que ela sente que deseja se comprometer rápido demais.

Na condição de uma pessoa do Tipo Sete, pode ser difícil para Julia perseverar nessas frustrações por um tempo suficiente para criar soluções que funcionem para todos. Perseverar nos desafios requer que as Pessoas do Tipo Sete processem suas próprias frustrações e sua infelicidade – sentimentos particularmente difíceis para elas. Também podem ter dificuldade em vivenciar as emoções negativas das outras pessoas, como a dos

82   O ENEAGRAMA MODERNO

funcionários que estão descontentes com a maneira rápida com que ela faz as coisas ou a do seu namorado que está desapontado porque Julia ainda não quis assumir um compromisso. Pode ser fácil para as Pessoas do Tipo Sete se distraírem. No trabalho, Julia navega em *sites* e redes sociais grande parte do dia, em vez de se envolver em projetos produtivos. Comparecer a eventos na sua cidade pode ser uma maneira de se distrair e procurar estímulos, em vez de fontes de genuína satisfação. Em uma escala mais ampla, Julia adota um comportamento do tipo "a grama está mais verde no vizinho"; em vez de ficar feliz com as circunstâncias atuais da sua vida, ela passa muito tempo procurando algo diferente, sem permanecer conectada com o presente.

ASA: SEIS

Embora todos os Tipos Sete tenham as mesmas motivações e os mesmos desejos básicos, as Asas criam algumas diferenças no "tempero" do tipo essencial do Eneagrama. Com uma Asa Seis, Julia continua a ser um Tipo Sete, mas alguns dos traços do Tipo Seis do Eneagrama se manifestam para temperar e influenciar sutilmente seus traços do Tipo Sete básicos. Para um observador imparcial, Julia pode parecer externamente muito diferente de uma pessoa do Tipo Sete com Asa Oito.

A Asa Seis confere qualidades de lealdade e calor humano à personalidade de Julia. Ela é confiável no emprego, tendo demonstrado seu empenho ao trabalhar lá durante vários anos, e leal aos amigos e à família. Aprecia a segurança do seu salário e dos relacionamentos que formou. O calor humano do Tipo Seis adiciona um sentimento de suavidade e charme ao Tipo Sete, que é independente e às vezes controlador, o que

O ENEAGRAMA NA PRÁTICA   **83**

torna mais fácil para Julia conviver com seus colegas, fazer amigos e se relacionar.

Por estar na faixa saudável média, Julia é ansiosa. Isso pode fazer com que ela pareça afetuosa, mas também faz com que seja ainda mais difícil tomar decisões a respeito do seu futuro. Também pode alimentar um maior sentimento de desconfiança com relação aos amigos mais íntimos. Quando se sente frustrada com as atitudes dos seus funcionários e do seu namorado, Julia se questiona se eles estão de fato comprometidos com ela. Na presença do estresse, essa incerteza torna mais provável que Julia tenha a reação de avançar em direção ao que ela acredita ser a melhor alternativa.

CENTRO: O CENTRO DO RACIOCÍNIO

O Tipo Sete, ao lado dos Tipos Cinco e Seis, está mais focado no Centro do Raciocínio. Por ser um Tipo Cerebral, Julia está muito mais focada em encontrar clareza a respeito do futuro. De modo específico, Julia gostaria de tomar decisões positivas no presente para garantir que aprecie sua carreira, tenha uma vida amorosa satisfatória e se sinta feliz no dia a dia.

Assim como todos os Tipos Cerebrais, Julia está particularmente propensa a ter sentimentos de ansiedade e incerteza a respeito do futuro. Ela se preocupa com a possibilidade de tomar decisões erradas, temendo que estas a deixem presa a uma situação que não funcione para ela. Às vezes, Julia se dará conta de estar adiando a tomada de decisões por causa desse medo, envolvendo-se então com suas inúmeras distrações.

ESTILO SOCIAL: ASSERTIVO

Junto com os Tipos Três e Oito, o Tipo Sete tem uma maneira assertiva de se relacionar com os outros. Julia é o que descreveríamos como uma pessoa dinâmica e empreendedora: ela gosta de fazer as coisas acontecerem. Seu estilo faz dela uma pessoa naturalmente influente: se manifesta nas reuniões, inicia projetos e pede o que deseja. Não raro, é Julia quem decide o que ela e seus amigos farão nos fins de semana.

No lado negativo, Julia pode ter dificuldade em diminuir o ritmo e refletir, uma característica muitas vezes necessária na hora de tomar decisões. Ela fica impaciente com o ritmo mais lento dos seus colegas de trabalho quando não agem com a rapidez que gostaria. Sua assertividade natural torna às vezes difícil para as outras pessoas dizer o que estão pensando.

ESTILO DE RESOLUÇÃO DE CONFLITOS: ATITUDE POSITIVA

Assim como os Tipos Dois e Nove, o Tipo Sete considera o lado mais positivo da vida. A positividade e o entusiasmo de Julia a ajudam a enxergar o que há de melhor nos seus colegas de trabalho, amigos e namorado, mesmo que a estejam deixando frustrada. Sua jovialidade natural atenua os conflitos no trabalho e levanta o ânimo da sua equipe nos dias difíceis.

Julia também tem dificuldade em lidar com conflitos. Ela tende a desconsiderar o descontentamento do seu namorado e dos seus funcionários, focando, em vez disso, no que está indo bem ou distraindo-se com outras atividades. O lado negativo é que, quando os conflitos não são abordados, eles têm o potencial de crescer e acabam gerando mais frustração e infelicidade.

ESTILO DE RELAÇÕES COM O OBJETO: FRUSTRAÇÃO

O Tipo Sete de Julia se une aos Tipos Um e Quatro ao se concentrar em ideais que eles querem alcançar no mundo: no caso de Julia, ela está particularmente focada em um mundo no qual ela tenha a liberdade de comprar o que deseja e precisa, buscar atividades estimulantes e ter muitos amigos, ao mesmo tempo que também encontra o emprego e o relacionamento ideais. As pessoas do Tipo Sete como Julia tendem a idealizar um estilo de vida que lhes proporcionará uma frequente felicidade e alegria.

O lado negativo é que é quase impossível alcançar uma vida idealizada. Isso, muitas vezes, deixa Julia frustrada - com o namorado, o emprego, o lugar onde mora e assim por diante - mesmo quando muita coisa na sua vida está indo bem. Em vez de se concentrar nas coisas boas que tem, ela se concentra em tentar alcançar o que sente que não tem.

ENTENDENDO AS NUANCES

Eis alguns fatores aos quais devemos prestar muita atenção ao interpretar o Eneagrama.

Leve em consideração o motivo: muitas vezes, pessoas de dois tipos diferentes agirão da mesma maneira, porém por razões diferentes. Por exemplo, tanto Julia quanto sua amiga Lakesha, do departamento de marketing, estão de olho em uma promoção no trabalho. Na condição de um Tipo Sete, Julia encara a promoção como uma oportunidade estimulante de experimentar novos desafios, de trazer variedade para sua vida profissional. Lakesha, um Tipo Três, encara a promoção como uma maneira de promover seu prestígio, atingir uma meta profissional há muito desejada e sentir que contribui de uma maneira valiosa e importante no local de trabalho.

Tríades semelhantes: os tipos que compartilham um agrupamento triádico no Eneagrama têm atributos em comum. Por exemplo, uma pessoa empreendedora e dinâmica pode ser de qualquer um dos Tipos Assertivos, enquanto a pessoa que insiste em manter a resolução de conflitos cortês e imparcial provavelmente é de um dos Tipos da Competência. Quando as pessoas compartilham um estilo de viver, pode ser difícil distinguir os tipos. Por sorte, há quatro conjuntos de tríades a ser considerados. Se você tiver uma boa noção de que alguém está em uma das tríades, examine os outros agrupamentos triádicos para verificar quais se encaixam melhor e reduza as possibilidades de tipo a partir daí.

O movimento ao longo das flechas: especialmente quando você estiver determinando o tipo de membros da família, que você vê quando estão muito desinibidos, é fácil confundir as manifestações do Ponto de Segurança com o tipo básico deles. Por exemplo, uma pessoa do Tipo Seis muitas vezes divagará e buscará conforto ao lado de pessoas íntimas de uma maneira que lembra um Tipo Nove. Os Pontos de Estresse também são um fator a ser considerado, pois muitos de nós agimos em função do estresse várias vezes por dia. Na presença de um grande estresse, a pessoa pode se deslocar para seu Ponto de Estresse e lá permanecer durante anos. Para distinguir o tipo básico do movimento ao longo das flechas, procure linhas constantes de comportamento e preocupação em todas as áreas e épocas da vida da pessoa.

Aplicações práticas

Julia passou algum tempo lendo e refletindo sobre seu eneatipo. Ela também tem alguns palpites confiáveis a respeito dos tipos do seu parceiro e dos seus colegas. Agora, ela está pronta para aplicar o Eneagrama às suas metas.

NO TRABALHO

Julia quer entender as razões do comportamento dos seus colegas e criar um equilíbrio eficaz entre seus diferentes estilos de trabalho. Na condição de um Tipo Sete, reconhece que vive a vida em ritmo acelerado. Quando tem uma ideia criativa, não demora muito para que seu foco se desloque para outra. Ela gosta de ter vários projetos ativos. Esse não é o caso dos *designers* que estão sob sua direção. Ela identificou vários deles como Tipos Retraídos (Tipos Quatro, Cinco e Nove), predominantemente Tipos Quatro. Quando ela está em uma disposição de ânimo generosa, ela descreve os membros da sua equipe para Miguel como "pessoas que preferem não se apressar", e quando está frustrada, ela se queixa da dissociação da equipe dos seus esforços de gerenciamento. Por que eles não conseguem propor ideias de imediato, como ela faz? Por que tratam os prazos finais como se fossem apenas sugestões? Por que são todos tão quietos?

Depois de aprender mais a respeito dos Tipos Retraídos com os quais trabalha, Julia passou a reconhecer que a mente deles opera de um modo diferente da dela. Eles precisam de tempo para refletir sobre suas ideias antes de executá-las, e a quietude que permeia o escritório é proveniente da profunda concentração deles. Em vez de pressioná-los a trabalhar mais rápido ou procurar tornar o escritório mais "divertido", ela será uma gerente mais eficaz se conceder a eles o espaço que precisam para pensar e trabalhar.

Sob a ótica dos prazos finais, Julia reconhece que os Tipos Quatro da sua equipe são motivados pelo impulso de ser indivíduos, ligados à sua própria subjetividade. Alguns deles resistem quando ela impõe uma estrutura uniforme ao trabalho deles sem reconhecer a individualidade e as necessidades específicas dos projetos a que se dedicam. Compreendendo isso, Julia começa a conferir um toque mais pessoal às reuniões que tem com seus *designers* do Tipo Quatro. Eles chegam a um consenso em torno das necessidades do cliente e do projeto e concordam com um prazo final. Julia escuta com mais atenção as necessidades e considerações dos *designers*. Esse reconhecimento torna mais fácil para os *designers* acompanhar a estrutura de Julia e entender sua importância.

O ENEAGRAMA NA PRÁTICA **89**

Na sua busca de trocar a distração no local de trabalho pelo envolvimento em projetos mais interessantes, Julia reconhece que o foco será útil. É fácil e divertido checar o seu *feed* do Facebook durante os períodos de inatividade, mas, a longo prazo, ela sente que desperdiçaria muito tempo e reconhece que seria mais gratificante experimentar uma nova tarefa. Ela usa sua capacidade de gerar possibilidades para fazer o *brainstorm* de projetos que talvez queira experimentar no trabalho. Por saber que uma pessoa solidária irá ajudá-la a se concentrar, ela se encontra com sua amiga Lakesha para discutir a lista com ela. Uma opção que escolhem, que é ao mesmo tempo razoável e estimulante, envolve procurar uma colega sênior e conversar com ela sobre sua participação no Comitê de Liderança Feminina. Essa colega está se demitindo do cargo de co-organizadora do comitê e à procura de uma substituta. Julia pergunta à outra co-organizadora se ela está disposta a ser sua mentora, e a co-organizadora aceita fazer o que ela pede. Julia tem agora uma nova função cativante e uma colega solidária que irá ajudá--la a permanecer estruturada. Enquanto se relaciona com as mulheres do Comitê de Liderança, muitas das quais a superam em tempo de atuação na sua área, ela lhes faz perguntas a respeito das suas funções e responsabilidades. Ao reconhecer sua tendência de tomar decisões rápidas, ela apresenta a si mesma o desafio de ser mais deliberada ao explorar diferentes possibilidades de carreira. Planeja continuar a pesquisar futuras opções de trabalho ao mesmo tempo que, por enquanto, permanece envolvida com sua função atual e a nova responsabilidade. Ela terá por meta encontrar alguma coisa que vá lhe proporcionar variedade e uma recompensa a longo prazo.

NOS RELACIONAMENTOS

Antes de tomar conhecimento do Eneagrama, Julia não tinha nenhuma ideia de quantas das suas ações eram movidas pela ansiedade. Hoje, ela compreende que seu medo é uma força motriz por trás dos seus esforços de escapar do compromisso com Miguel. Não que seu relacionamento seja particularmente problemático. Ela ficaria nervosa sobre se comprometer em qualquer relacionamento. Na vez seguinte em que Miguel traz à tona suas metas a respeito da casa e do casamento, ela chega à conclusão de que lhe deve uma conversa.

Ela identificou Miguel como um Tipo Dois no Eneagrama, um romântico voltado para a conexão. Ele quer que Julia se comprometa para ter certeza de que ela o ama. Quanto mais ele a pressiona, mais oprimida ela se sente e se questiona se deseja ficar com ele. Mas quando não deixam que suas inseguranças atrapalhem, eles têm um excelente relacionamento. Eles gostam de cozinhar e ir a eventos juntos, assistir a programas na televisão e discutir ideias. Eles são carinhosos e apoiam os objetivos um do outro. Ela percebe que não pode culpá-lo inteiramente pela dissociação deles no relacionamento. Ao se distrair com atividades que não envolvem Miguel e ao esconder seu interesse por empregos fora da cidade, ela o vem tratando como uma ameaça a ser evitada e não como um companheiro.

Por ser um tipo da Tríade do Sentimento, Miguel responde à linguagem dos sentimentos. Apesar da sua ansiedade com relação a fazer isso, Julia se abre com ele a respeito das suas recentes emoções. Ela lhe diz que, embora o ame muito, ela tem se sentido nervosa a respeito dos múltiplos níveis de compromisso que ele deseja que ela assuma. Ela não tem certeza se quer permanecer naquela região indefinidamente, ter filhos, e a ideia de se comprometer ao mesmo tempo com um casamento, uma casa e uma família a deixa apavorada. Julia entende que ele deseja que ela assuma um compromisso e está se perguntando se ele estaria disposto a ir mais devagar.

Para seu alívio, Miguel lhe dá um grande abraço. Ele também não havia percebido a extensão da ansiedade dela, pois partia do princípio de que um lar e uma família eram metas tanto dela quanto dele e que ela tinha dúvidas porque não o amava o bastante. Ele se sentiu tranquilizado com a explicação de Julia de que o ama muito. Embora desejasse construir uma vida juntos, ele está aberto a explorar diferentes opções de estilos de vida com ela. Decidem ceder e experimentar viver juntos alugando uma casa nos arredores da cidade, em vez de comprar imediatamente uma propriedade. Definem um cronograma flexível com metas para suas vidas profissionais e sua vida em comum. Também combinam sair uma noite por semana como namorados. Julia usará seu talento para propor atividades que sejam divertidas e estimulantes, quando eles poderão demonstrar que se importam um com o outro; além disso, essas saídas darão a Miguel a oportunidade de se relacionar com sua parceira.

NA VIDA DO DIA A DIA

Julia tem várias gravuras emolduradas no seu apartamento que destacam mensagens inspiradoras: "Dance como se ninguém estivesse olhando", "Viva a vida que você sonhou!", "Não se preocupe, seja feliz!". Pondo de lado seu livro do Eneagrama, ela ri da típica filosofia do Tipo Sete refletida em todas as suas paredes. Ela não tem problema em manter em mente a possibilidade e a positividade, mas talvez sua vida pudesse usar um novo *slogan*.

Ela encomenda uma bonita gravura que diz: "Pare para sentir o cheiro das rosas". É um lembrete da sua intenção de viver o momento em vez de deixar que sua impaciência e sua busca de estímulos atrapalhem seus verdadeiros desejos. Também é o reconhecimento de que outras pessoas na sua vida precisam de tempo e espaço. Essas coisas também são proveitosas para Julia. Ela já tentou se dedicar anteriormente a uma prática diária de meditação como uma maneira de se conectar consigo mesma, mas não sustentou a prática. Ela começa colocando o despertador para tocar meia hora mais cedo todas as manhãs para criar estrutura para a meditação. Sentar-se na esteira e prestar atenção aos pensamentos e sentimentos quando eles surgem é inicialmente um processo maçante que produz ansiedade. À medida que as semanas vão passando, ela percebe que seus pensamentos estão ficando mais calmos. Começa a ter mais clareza a respeito das escolhas que realmente a interessam. Ela se sente orgulhosa da sua capacidade de reservar um tempo para si mesma e se dedicar a uma prática que a ajuda.

Ao planejar sua mudança com Miguel, ela percebe que tem muitas coisas no seu apartamento de que não precisa. Ela passa alguns dias enchendo sacolas para doação com roupas velhas e itens sentimentais dos quais ela não queria se livrar, mas que não lhe proporcionam mais uma alegria genuína. Quando se vê novamente tentada a comprar alguma coisa supérflua, ela presta atenção ao impulso e pergunta a si mesma se aquele é um item que irá valorizar ou outra distração momentânea.

A APLICAÇÃO ESPIRITUAL DO ENEAGRAMA

O Eneagrama é uma maravilhosa tipologia da personalidade. No entanto, usá-lo apenas com base nessa perspectiva nos impede de obter o benefício completo que o sistema pode proporcionar. Ele forma uma excelente base, ou traz estímulo, para uma prática espiritual. Independentemente da sua visão de mundo ou inclinação espiritual, o Eneagrama oferece ideias que complementam suas convicções. Essa versatilidade não é surpreendente para um sistema com origens que combinam o sufismo (o misticismo islâmico), o judaísmo e o cristianismo místicos, a filosofia esotérica e a psicologia moderna.

Por meio do seu círculo unificador, o Eneagrama mostra que todos estamos conectados. No entanto, ele aprimora, de modo verdadeiro, nossa prática espiritual ao realçar nossas diferenças. As religiões e práticas espirituais muitas vezes preceituam um caminho específico para o crescimento. Mesmo assim, a realidade é que todos temos diferentes necessidades. Uma prática espiritual que funcione bem para um Tipo Cinco pode ser muito diferente daquela que estimula um Tipo Oito. Alguns de nós, por exemplo, nos beneficiamos profundamente da reflexão ou da meditação, enquanto outros entram mais em contato com o sentimento de algo maior por intermédio do serviço ou da ação direta. O Eneagrama possibilita que celebremos nossas diferenças e personalizemos um plano para o crescimento espiritual.

Seu eneatipo lhe confere orientação para que entre em contato com seu verdadeiro eu. Embora todos tenhamos um tipo básico de personalidade, todo mundo é na verdade muito mais do que sua personalidade. O caminho espiritual lhe oferece a oportunidade de despertar para uma realidade mais profunda, e o

Eneagrama o ajuda mostrando quais os padrões de pensamento e comportamento que o afastam dessa realidade. O segredo do despertar é "pegar a nós mesmos em flagrante", como dizem Riso e Hudson: ter consciência dos nossos pensamentos e emoções enquanto os vivenciamos. Essa atenção plena possibilita que você capte vislumbres do seu verdadeiro eu, que opera debaixo dos seus padrões psicológicos habituais. Com o tempo, esses vislumbres aumentam, oferecendo um contato mais pleno e profundo com sua verdadeira natureza.

Para aprender mais a respeito das raízes e aplicações espirituais do Eneagrama, examine a parte do Desenvolvimento Espiritual da seção Recursos.

Tornando-se seu eu completo

Com um entendimento do seu eneatipo e seu significado, Julia agora pode abordar a vida com base em uma perspectiva mais clara. Ela aprendeu que seu jeito habitual de tomar decisões procede de uma predisposição para a situação estimulante seguinte. O que realmente deseja é liberdade e alegria, mas essas são qualidades mais profundas do que os estímulos momentâneos que Julia coloca no lugar delas. Com o Eneagrama em mente, ela tem um mapa para fazer escolhas na vida que satisfaçam suas verdadeiras necessidades.

Aprender a respeito dos seus padrões do Tipo Sete a ensinou a ficar atenta aos seus hábitos cotidianos. Ela agora conhece a facilidade com que se distrai e sabe a frequência com que abandona buscas potencialmente promissoras quando elas deixam de ser estimulantes ou começam a parecer um compromisso. Quando se apanha escorregando para qualquer um desses hábitos (o que ela faz várias vezes por dia), ela pergunta a si mesma: "Isso vai realmente me fazer feliz?". Se a resposta é "não", ela examina sua escolha com mais cuidado. Às vezes, mesmo assim, Julia faz o que ia fazer, mas agora está mais ciente das consequências. Outras vezes opta por fazer algo diferente, e com frequência fica satisfeita com os resultados dessas escolhas.

Julia também compreende que as pessoas na sua vida são tão diferentes dela que as convenções e suas verdades absolutas nem sempre se aplicam. A equipe de *designers* que ela gerencia não precisa urgentemente se divertir mais; o que querem é tempo e espaço para que seu processo criativo se desenvolva. Seu namorado não está tentando aprisioná-la; ele está tentando se conectar mais profundamente e saber que é amado. Tendo o Eneagrama como um mapa, ela procura entender o ponto de vista e as necessidades dos outros, em vez de partir do princípio de que eles compartilham o ponto de vista dela.

Julia se encontra em um momento na sua vida no qual tem muitas decisões a tomar. Com a ajuda do Eneagrama, ela as tomará tendo em mente o seu melhor.

Neste capítulo, fizemos um exame profundo de como uma pessoa aplicou o Eneagrama à sua vida. No próximo, vamos examinar mais de perto como o Eneagrama pode ser aplicado em um contexto profissional.

O ENEAGRAMA NO TRABALHO

Muitas empresas utilizam o Eneagrama para descobrir maneiras de criar harmonia entre seus funcionários – pessoas que estão trabalhando em direção à mesma meta, mas podem ter formas muito diferentes de alcançá-la. As pessoas também podem usar o Eneagrama para encontrar uma carreira adequada, definir metas profissionais e progredir na profissão que escolheram. Você pode ter escolhido este livro porque deseja orientação na sua jornada profissional ou porque quer aprender a se comunicar e ter um bom relacionamento com colegas de trabalho que não concordam plenamente com você. Este capítulo poderá ser útil. Nas próximas páginas, vamos examinar como cada tipo do Eneagrama funciona em um ambiente de trabalho, como cada tipo pode abordar uma carreira e como você pode evitar as armadilhas comuns do seu tipo no trabalho.

Resolvendo problemas no trabalho

O Eneagrama é um sistema popular ao qual as empresas recorrem para ajudar os membros das suas equipes a entender uns aos outros e melhorar seu desempenho e sua comunicação. Ele é uma ferramenta útil para mediar disputas e resolver conflitos interpessoais no trabalho.

Depois de aprender a respeito dos nove tipos, Julia, um Tipo Sete do Eneagrama, começou a aplicar esse novo conhecimento à sua função de dirigir uma equipe de *designers* gráficos em uma empresa de *branding*. Ela pediu aos seus colegas que fizessem uma avaliação do eneatipo deles, e eles agora usam uma linguagem comum para falar a respeito da personalidade e dos pontos de vista uns dos outros. Vamos dar uma olhada em um cenário no qual o Eneagrama ajudou a resolver um problema que envolvia um grupo heterogêneo de pessoas no local de trabalho de Julia.

Bob já é um cliente da empresa na qual Julia trabalha. Agora contratou a firma para fazer o *rebranding* do seu negócio, o que inclui um novo logotipo e estratégia de marketing. Exigente e crítico, ele tem muitas especificações para o projeto. Como já trabalhou antes com Bob, Julia acredita que ele seja um Tipo Um.

Kevin, um Tipo Quatro, é o *designer* responsável pelo *branding* visual da empresa de Bob. Concluiu um logotipo e um portfólio de material visual para o projeto de *rebranding*, mas Bob não está satisfeito com os *designs* coloridos e com os traços soltos de Kevin. Por ser um Tipo Um, ele tem expectativas elevadas e deseja uma identidade de marca que contenha todos os detalhes corretos. Ele explica para Julia que deseja o novo portfólio dentro de um cronograma definido e diz que, se tudo não estiver à altura dos seus padrões, ele não voltará a trabalhar com a empresa. Na condição de um Tipo Sete, Julia quer manter as interações cordiais, além de não querer perder um cliente valioso. Ela garante a Bob que Kevin lhe entregará o que ele deseja.

Kevin, contudo, diz que o cronograma não é realista. O tempo é apertado demais para que ele possa fazer um *redesign* de todo o material requerido. Julia não tem formação em *design* gráfico, e seu conhecimento da área procede do seu trabalho com os *designers* e não de uma experiência direta. Ela não entende por que um *redesign* não pode ser feito rapidamente.

Kevin explica que não conseguirá apresentar a identidade de marca que a empresa de Bob deseja dentro do prazo determinado por ele. Na melhor das hipóteses, ele apresentará um resultado descuidado que não refletirá a qualidade pela qual a empresa de *branding* é conhecida. Na condição de um Tipo Quatro, Kevin leva o processo criativo a sério e valoriza a produção de um trabalho bem desenvolvido e visualmente atrativo. Kevin precisa de mais tempo para criar conceitos que se encaixem nas especificações precisas de Bob e ainda assim se destaquem no mercado.

Lakesha, que dirige o departamento de marketing, também está defendendo a rápida execução do serviço. Ela precisa ter o *branding* visual terminado para que seu departamento complete a estratégia de marketing para a empresa de Bob e a tenha pronta para a festa de lançamento que está próxima. Por ser um Tipo Três no Eneagrama, ela quer que a firma de *branding* se apresente bem e considera a satisfação do cliente parte disso.

Julia se sente pressionada entre o pedido de mais tempo de Kevin e os pedidos de mais velocidade de Bob e Lakesha. Julia expressa sua frustração para Lakesha – que tem mais conhecimento de *design* do que ela –, e elas decidem resolver o problema juntas. Quando toma conhecimento do nível de mudanças que Bob quer que Kevin faça no portfólio do *branding* visual, Lakesha concorda que o prazo está fora da realidade. De início, Julia resiste. Afinal de contas, gerenciar as interações com os *designers* é sua função, e ela quer deixar o cliente feliz. Quando Lakesha sugere negociar um meio-termo com Bob, Julia percebe que tem algumas ideias viáveis (e estratégias para apresentá-las) que irão agradar tanto a Bob quanto a Kevin.

Julia entra em contato com Bob e lhe diz que respeita a integridade da visão que ele tem para a empresa dele (um valor de peso para Bob, já que ele é um Tipo Um) e que sua firma de *branding* está empenhada em representar essa visão para o mundo. Ela usa a energia da positividade do seu Tipo Sete para enfatizar as vantagens do *design* de Kevin e explica que, a fim de ter o portfólio concluído no prazo, Bob terá que renunciar a algumas das mudanças que deseja fazer. Ela fala do esforço que Kevin está fazendo e dos elevados padrões do processo de *design* da empresa. Bob continua rabugento, mas a atitude otimista de Julia e o entendimento que ela demonstra ter dos seus valores fazem com que ele fique um pouco mais calmo. Ele está disposto a ceder em alguns aspectos do *redesign*, embora não no cronograma de entrega.

Julia e Lakesha conversam juntas com Kevin a respeito das concessões que Bob está disposto a fazer. Kevin fica aliviado, porque com um *redesign* menos intensivo, fica mais viável cumprir o cronograma. Lakesha propõe um plano estruturado para que o projeto seja concluído no prazo, e Julia afirma que tem total confiança no trabalho dele. Com a motivação de Julia, Kevin é capaz de concluir o *redesign* do logotipo e o portfólio, e a equipe de Lakesha segue em frente com a estratégia de marketing. Em última análise, Bob sente que o *rebranding* da sua empresa está em boas mãos porque Julia usou de sinceridade e integridade ao lidar com ele. Kevin sente que seu processo criativo foi respeitado. Lakesha está feliz por ter atingido a meta do lançamento bem-sucedido do seu cliente e mantido o prestígio da empresa aos olhos de Bob. Julia está aliviada porque todos os envolvidos no conflito do *redesign* estão satisfeitos e reina um bom clima entre eles. Graças ao Eneagrama, todas as necessidades e todos os pontos de vista foram ouvidos. Eles podem agora avançar harmoniosamente para o projeto seguinte, sem resquícios de qualquer tensão.

Os tipos do Eneagrama no trabalho

Ao aplicar o Eneagrama a um ambiente profissional, convém examinar os tipos das pessoas com quem você trabalha assim como o seu. Cada personalidade tem maneiras diferentes de abordar o trabalho. Quando você conseguir entender a posição dos seus colegas, como Julia e sua equipe fizeram, você poderá resolver mais prontamente problemas complexos. Os perfis fornecidos a seguir apresentam os talentos e desafios que cada tipo leva para o trabalho, bem como dicas para que cada um dê o melhor de si.

TIPO UM: O PERFECCIONISTA MOVIDO PELA MISSÃO

As pessoas do Tipo Um são em grande medida motivadas pelos seus princípios e pelo desejo de excelência. Isso pode resultar em integridade e conscientização, ou em uma tendência à crítica.

Pontos fortes: as pessoas do Tipo Um levam integridade e compromisso ao seu trabalho. Responsáveis e conscienciosas, elas se destacam ao tomar medidas para que as coisas sejam feitas da maneira correta. Elas têm um olho excelente para detalhes e estão dispostas a seguir adiante. Em sua melhor forma, a vida profissional das pessoas do Tipo Um exemplifica a expressão "movido pela missão". Elas são, com frequência, as pessoas que definem os padrões para sua equipe.

Desafios: as pessoas do Tipo Um lutam com o perfeccionismo, tanto interno quanto externo. Não esperar demais de si mesmas ou das pessoas com quem trabalham pode representar um desafio para as pessoas do Tipo Um. Elas podem se tornar críticas e irritadas. Também podem ficar estressadas por se esforçar mais do que os outros, tentando garantir o controle da qualidade assumindo trabalho adicional.

Dicas: as pessoas do Tipo Um podem revelar o que têm de melhor no trabalho ao manter uma postura de aceitação com relação às realidades do local. Todo local de trabalho tem aspectos imperfeitos, os quais podem ser gerenciados com mais eficácia quando as pessoas do Tipo Um relaxam um pouco. Reconhecer os esforços dos outros ajudará as pessoas do Tipo Um a perceber quanto seus colegas se interessam pelo trabalho, e acreditar nisso tornará seu fardo mais leve. Formar um vínculo com os colegas de trabalho e permitir que eles se divirtam tornará sua missão muito mais agradável.

TIPO DOIS: O EMPÁTICO FORMADOR DE CONEXÕES

As pessoas do Tipo Dois são de fato sociáveis e comunicativas, movidas pelo desejo de construir relacionamentos afetuosos e mutuamente estimulantes. No local de trabalho, esse esforço de conexão pode ser ao mesmo tempo uma vantagem e um fardo.

Pontos fortes: empáticas e emocionalmente inteligentes, as pessoas do Tipo Dois se destacam ao levar seu toque pessoal ao trabalho. Muitas têm o dom de manter relacionamentos com clientes e colegas. Elas vão além para mostrar às pessoas com quem trabalham quanto significam para elas e estão sempre prontas a ajudar quando necessário. São valiosas mentoras e *networkers*. As pessoas do Tipo Dois podem contribuir em grande medida para a coesão da sua equipe.

Desafios: as pessoas do Tipo Dois podem se concentrar de tal maneira nas necessidades dos outros que perdem o contato com as suas próprias necessidades. Com frequência, elas se sentem à vontade em funções de apoio e podem trabalhar mais em segredo, ficando ressentidas quando sua contribuição não é reconhecida. Podem se tornar opressivas no seu esforço de ajudar, ou desviar a atenção de tarefas e metas por se deixar distrair por interações pessoais.

Dicas: as pessoas do Tipo Dois podem expressar o que têm de melhor no trabalho prestando atenção às próprias necessidades antes de se comprometer em ajudar os outros. Pode ser fácil para as pessoas do Tipo Dois se oferecer como voluntárias para fazer coisas ou intervir para preencher uma necessidade, sem analisar seu tempo e a energia disponíveis. Concentrar-se em si mesmas no trabalho assegurará que as pessoas do Tipo Dois não prometam mais do que podem cumprir. Além disso, cuidar de si mesmas de uma maneira geralmente equilibrada ajudará a se destacar nas suas funções. Também é interessante que mantenham interesses e projetos no trabalho que não envolvam diretamente outras pessoas.

TIPO TRÊS: O EXECUTOR ADAPTÁVEL

As pessoas do Tipo Três são motivadas por sucesso e reconhecimento. Tendem a ser seguras de si e adaptáveis no trabalho, correndo o risco de valorizar mais a imagem do que o conteúdo. No local de trabalho, essas características se prestam a coisas positivas e negativas.

Pontos fortes: as pessoas do Tipo Três adaptáveis são capazes de avaliar rapidamente os desejos dos outros e fazer mudanças compatíveis com eles, criando uma afinidade natural para o marketing e a apresentação em múltiplas funções. No trabalho, as pessoas do Tipo Três são dedicadas e eficientes. Elas se concentram em atingir metas e são motivadas por tarefas e reconhecimento. Equilibradas, elas trazem o que têm de melhor para o trabalho e se destacam ao inspirar os outros.

Desafios: as pessoas do Tipo Três estressadas podem ser tentadas a tomar atalhos ou trabalhar demais para obter resultados. Podem apresentar uma imagem de elevada realização, ao mesmo tempo que negligenciam aspectos do trabalho menos visíveis, porém igualmente importantes. As pessoas do Tipo Três também podem resistir a delegar tarefas por acreditar que executarão melhor o trabalho do que seus colegas. O esgotamento é possível na presença de uma pressão elevada.

Dicas: para trazer à tona no trabalho o que têm de melhor, é proveitoso para as pessoas do Tipo Três aprender a reconhecer quando estão trabalhando demais e criar pausas para si mesmas. Delegar tarefas pode deixar as pessoas do Tipo Três estressadas a curto prazo, mas em última análise se revelar útil. Honrar sua própria integridade também é importante para esse tipo. É vantajoso para as pessoas do Tipo Três prestar atenção aos seus próprios interesses e escolher um trabalho compatível com eles, em vez de procurar fazer o que lhes traga apenas maior reconhecimento.

TIPO QUATRO: O CRIADOR COMPASSIVO

Motivados por desejos de conhecer e expressar a si mesmas, as pessoas do Tipo Quatro levam criatividade e sensibilidade ao seu trabalho, com o perigo de ser excessivamente emocionais.

Pontos fortes: as pessoas do Tipo Quatro expressivas conferem um toque criativo ao seu trabalho. Podem criar produtos exclusivos ou *designs* inconfundíveis, extraindo inspiração das suas emoções e imaginação. As pessoas do

Tipo Quatro altamente funcionais podem se sintonizar com as emoções dos seus clientes ou colegas e empatizar com seus desafios mais profundos. Elas levam inteligência emocional às suas equipes, junto com a disposição de identificar e enfrentar problemas.

Desafios: as pessoas do Tipo Quatro podem ter dificuldade em sustentar a rotina diária de trabalho. Quando ficam estressadas ou são emocionalmente instigadas, elas podem recuar e se inclinar a processar seus sentimentos antes de ser capazes de seguir em frente e ser produtivas. Suas explosões emocionais e sua sensibilidade podem criar um conflito emocional no local de trabalho. As pessoas do Tipo Quatro também podem procrastinar quando ficam nervosas por causa de projetos.

Dicas: para realçar seus talentos no trabalho, as pessoas do Tipo Quatro se beneficiam da aplicação de uma estrutura e de regularidade. Os prazos finais e as programações são úteis, e fazer contato regularmente com os colegas as ajuda a ser responsáveis. Quando sua sensibilidade ou suas emoções negativas são instigadas, as pessoas do Tipo Quatro podem se beneficiar de uma pausa com tempo limitado e usar o corpo de uma maneira que as ancore à realidade, como fazer uma breve caminhada.

TIPO CINCO: O ESPECIALISTA INOVADOR

Em busca de clareza e de um conhecimento exemplar, as pessoas do Tipo Cinco são perceptivas de modo tenaz e inovadoras, percebendo conexões desconsideradas pelos outros e, às vezes, negligenciando a esfera interpessoal.

Pontos fortes: dotadas de curiosidade e foco, as pessoas do Tipo Cinco são especialistas inatas. Sua mente analítica possibilita que assimilem grandes quantidades de informações, façam novas conexões e inovem. As pessoas do Tipo Cinco são, com frequência, as especialistas na sua equipe, acumulando e aplicando um conhecimento enciclopédico. Elas são altamente funcionais, oferecem uma exemplar objetividade e percepção dos detalhes que possibilitam uma acurada resolução dos problemas.

Desafios: lidar com pessoas não é algo que as reservadas pessoas do Tipo Cinco façam com naturalidade. Elas são facilmente oprimidas pelo que percebem como exigências das outras pessoas e podem fugir da interação. Como alternativa, elas podem querer falar apenas a respeito de interesses específicos. Esses comportamentos podem fazer com que os colegas tenham a impressão de que elas são inacessíveis ou indiferentes, desafiando o moral e a coesão da equipe.

Dicas: as pessoas do Tipo Cinco podem expressar o que têm de melhor no trabalho tornando-se parte de uma rede de apoio, mesmo que de pequenas maneiras. Elas se beneficiam ao aprender como se relacionar com os outros sem ficar oprimidas. As pessoas do Tipo Cinco podem definir a meta de falar todas as semanas na reunião ou de ir almoçar com um grupo de colegas de trabalho. Criar conexões faz com que as pessoas do Tipo Cinco sejam mais apreciadas e fiquem menos isoladas, o que as torna mais propensas a fazer contribuições valiosas e criativas.

TIPO SEIS: O IGUALITÁRIO DEDICADO

As pessoas do Tipo Seis são as formadoras de equipe do Eneagrama, atribuindo um enorme valor à colaboração e à interconexão. Sua tendência de ser céticas conduz a uma capacidade magistral de resolver problemas, mas também, às vezes, à paranoia.

Pontos fortes: naturalmente colaborativas, as pessoas do Tipo Seis lideram a partir do interior de um grupo, inspirando igualdade e coleguismo. Uma vez envolvidas com um empreendimento, elas se dedicam ao trabalho árduo de vê-lo terminado. Não raro, elas são as solucionadoras de problemas da equipe, antevendo riscos e propondo soluções com antecedência. As pessoas do Tipo Seis altamente funcionais são valentes defensoras das pessoas e causas pelas quais se interessam.

Desafios: as pessoas do Tipo Seis se preocupam com resultados negativos e se concentram na maneira de evitá-los. Elas podem se envolver com preocupações no trabalho e se desviar da tarefa que precisa ser executada. Isso pode levá-las a fazer um grande esforço sem que necessariamente atinjam suas metas. As pessoas do Tipo Seis estressadas podem se queixar no emprego e levantar suspeitas nos outros a respeito de ameaças que podem não ser verdadeiras.

Dicas: para que possam expressar no trabalho o que têm de melhor, é interessante que as pessoas do Tipo Seis pensem a respeito de como otimizar suas chances de sucesso, em vez de tentar minimizar suas chances de fracasso. Podem usar seu dom natural de buscar apoio para formar novas redes de colegas que motivarão uns aos outros, mantendo o foco no trabalho. Quando surgem oportunidades para que usem seus talentos, é proveitoso que as pessoas do Tipo Seis enfrentem com decisão qualquer nervosismo e abracem a chance de crescer e brilhar.

TIPO SETE: O EXPLORADOR ENÉRGICO

Liberdade, possibilidade e aventura motivam as pessoas do Tipo Sete na vida e no trabalho. Seu impulso em direção à novidade pode causar tanto a inovação quanto a distração.

Pontos fortes: as pessoas do Tipo Sete apresentam alegria e jovialidade no seu trabalho. Os clientes e colegas muitas vezes adoram seu espírito de diversão e suas ideias criativas. Agindo e se envolvendo com rapidez, elas podem ser exímias em várias áreas, as quais são capazes de combinar de maneiras estimulantes. Em sua melhor forma, sua positividade as mantêm resilientes. Quando alguma coisa não dá certo, elas se mostram dispostas a tentar outra vez.

Desafios: novas possibilidades captam facilmente a atenção das pessoas do Tipo Sete. Elas podem iniciar um projeto e depois ser distraídas por outro. Às vezes elas assumem tantas responsabilidades que são incapazes de cumprir suas obrigações em todas elas. As pessoas do Tipo Sete estressadas podem exibir uma fachada otimista, desfiando narrativas de um futuro emocionante ao mesmo tempo que se esquivam dos problemas atuais.

Dicas: mantendo o foco, as pessoas do Tipo Sete podem expressar no trabalho o que têm de melhor. Seu desafio é aprender quando se dedicar ao empreendimento que têm diante de si, em vez de correr atrás da última novidade. Pode ser interessante para as pessoas do Tipo Sete definir para si mesmas programações de projetos importantes ao mesmo tempo que deixam espaço para que suas outras ideias se desenvolvam. Poderiam, por exemplo, se comprometer a trabalhar durante um mês para cumprir um determinado prazo final, ao mesmo tempo que mantêm um caderno de notas ou arquivo com possíveis projetos para o futuro.

TIPO OITO: O EXECUTOR IMPACTANTE

Pessoas de ação, as pessoas do Tipo Oito têm a tendência de ir parar em posições de liderança. No entanto, sua natureza que tende para a tomada de riscos pode ser igualmente estimulante e enervante no local de trabalho.

Pontos fortes: as pessoas do Tipo Oito são espertas e têm o dom de fazer as coisas acontecerem. Comandar um ambiente é natural para elas. Devido à sua presença poderosa e seu interesse em causar um grande impacto, elas muitas vezes procuram posições de liderança em uma equipe. São pessoas de ação que não têm medo de tomar decisões. As pessoas do Tipo Oito altamente funcionais exibem muita coragem e são capazes de fortalecer os outros e a si mesmas.

Desafios: as pessoas do Tipo Oito nem sempre se dão conta da impressão forte que passam para os outros e podem, involuntariamente, intimidá-los. Quando estressadas, podem ter um comportamento agressivo e se tornar mais obstinadas do que compassivas, tomando decisões desagradáveis e comprando briga. Elas poderão vir a descobrir que suas relações no trabalho são tensas porque os colegas têm medo delas.

Dicas: no trabalho, as pessoas do Tipo Oito podem expressar o que têm de melhor observando quanta energia estão investindo nas interações e aprendendo quando devem reduzi-la. "Abaixar a bola" criará um ambiente de trabalho mais harmonioso e agradável. Trabalhar a inteligência emocional também é proveitoso. Um pouco de delicadeza e compaixão é muito útil, possibilitando que as pessoas do Tipo Oito tragam à tona seus pontos fortes naturais de proteção e liderança compassiva.

TIPO NOVE: O MEDIADOR DESPREOCUPADO

Sempre em busca de harmonia, as pessoas do Tipo Nove do Eneagrama são capazes de perceber que estamos todos conectados. Seu desejo de paz pode resultar em serenidade ou passividade nas suas interações no local de trabalho.

Pontos fortes: essas personalidades pacientes têm o dom de enxergar os dois lados de uma questão e guiar os outros para o consenso. Por causa desses talentos, as pessoas do Tipo Nove são capazes de se relacionar facilmente. Até mesmo em situações incômodas, as pessoas do Tipo Nove altamente funcionais têm o dom de deixar todos à vontade. Elas criam ambientes de trabalho relaxantes, nos quais todos se sentem bem e acolhidos.

Desafios: as pessoas do Tipo Nove têm uma abordagem lenta, delicada e flexível que pode levá-las a não dizer o que pensam ou compartilhar suas ideias. Elas podem passar desapercebidos no trabalho, o que faz com que sua valiosa criatividade não seja utilizada. As pessoas do Tipo Nove podem até mesmo se meter em apuros por se recusar a tomar uma posição. Quando estressadas, elas podem se recusar obstinadamente a participar das coisas.

Dicas: as pessoas do Tipo Nove podem expressar no trabalho o que têm de melhor aprendendo a entrar em contato com sua força de vontade e tomar decisões difíceis. É proveitoso para elas praticar a assertividade e encontrar satisfação em ações que podem perturbar o equilíbrio, mas fazer seu trabalho avançar. Assumir o comando e se permitir ficar visíveis às vezes são atitudes benéficas para as pessoas do Tipo Nove. Isso também é verdade com relação a tomar iniciativas em empreendimentos com os quais sempre quiseram se envolver, mas se sentem nervosas ou procrastinam.

A COMUNICAÇÃO COM OS COLEGAS

Muitos conflitos no trabalho surgem devido a diferentes estilos de comunicação. Nosso seminário mais popular, *Communication Styles for Success* [Estilos de Comunicação para o Sucesso], introduz os estilos sociais do Eneagrama como uma maneira de entender as preferências dos nossos colegas ao transmitir e receber informações. Quando usa os estilos sociais para se comunicar, você passa a ter mais facilidade para falar a língua dos seus colegas de trabalho e argumentar com eficácia.

As pessoas do Tipo Assertivo (Três, Sete e Oito) são Iniciadoras no trabalho. Elas gostam de aceitar desafios e tomar decisões rápidas. Os Iniciadores são muitas vezes os primeiros a se manifestar, empregando um estilo direto e vigoroso e "pensando em voz alta". Ao trabalhar com Iniciadores, seja direto e confiante na sua comunicação. Esses colegas apreciam uma perspectiva franca e respeitam aqueles que estão dispostos a debater com eles.

As pessoas do Tipo Aquiescente (Um, Dois e Seis) são Cooperadoras no trabalho. Seu estilo idealista e naturalmente colaborativo significa que assumem com frequência funções de apoio; elas se concentram em obter a participação dos outros ou em seguir um conjunto de responsabilidades. Convém pedir a opinião das Cooperadoras, pois pode não lhes ocorrer oferecê-la voluntariamente. É interessante para elas ser reconhecidas e valorizadas pela sua contribuição no trabalho.

As pessoas do Tipo Retraído (Quatro, Cinco e Nove) são Solistas no trabalho. Adotam uma perspectiva estratégica de longo alcance e com frequência preferem trabalhar de modo independente. Os Solistas são inovadores e refletem sobre suas ideias antes de falar. Quando estiver trabalhando com Solistas, convém avisá-las de futuras discussões e dar tempo a elas para que preparem seus comentários, enviando-lhes de antemão, por exemplo, a pauta de uma reunião. Incentive-as a contribuir dando-lhes espaço para que possam refletir sobre o assunto, em vez de exigir uma contribuição imediata.

Profissões usuais para os tipos do Eneagrama

Não existem correlações diretas entre os tipos do Eneagrama e as profissões, mas os interesses inatos e as preferências de cada tipo significam que eles são naturalmente atraídos para certos trabalhos. Nesta seção, vamos considerar atividades nas quais geralmente encontramos tipos específicos do Eneagrama. Tenha em mente que muitas atividades coincidem em parte com outras e muitos tipos se destacam nelas. Além disso, tenha consciência de que essas são observações e tendências gerais. Você poderá encontrar qualquer tipo trabalhando com sucesso em qualquer área, prosperando ao adequar o trabalho à sua personalidade. Se você está procurando uma nova carreira ou uma transição, poderá constatar que profissões relacionadas com seu tipo são boas escolhas para você. Entre outros fatores importantes a considerar ao selecionar uma profissão estão seus *hobbies*, talentos e interesses pessoais.

TIPO UM

As pessoas do Tipo Um são muitas vezes atraídas para profissões que envolvem seu senso de ética pessoal, missão e propósito, como:

- **O sistema jurídico**: as pessoas do Tipo Um são, na maioria das vezes, advogados, juízes ou assistentes jurídicos que trabalham para corrigir regras e padrões e levar justiça ao mundo.

- **Educação**: encontramos pessoas do Tipo Um que são diretores de escola, administradores acadêmicos e professores. Essas profissões permitem que as pessoas do Tipo Um difundam valores às gerações futuras.

- **Empresas sem fins lucrativos e justiça social**: as pessoas do Tipo Um estão muitas vezes envolvidas com o ativismo e a justiça social, áreas nas quais acreditam profundamente. Vemos, com frequência, pessoas do Tipo Um fazendo trabalho de grande importância nessas organizações, onde seu detalhismo, sua visão ampla e seus ideais beneficiam as organizações.

- **Política**: o mesmo forte senso de justiça social e de princípios, não raro, leva as pessoas do Tipo Um a trabalhar em autarquias, a ocupar cargos no governo ou até mesmo a se candidatar a cargos públicos.

- **Ocupações religiosas**: como membros do clero ou funcionários de uma instituição religiosa, muitas pessoas do Tipo Um encontram uma carreira profissional compatível com seus valores, onde podem compartilhar seu entendimento de missão com uma comunidade mais ampla.

- **Profissionais de saúde:** os médicos, nutricionistas e outros profissionais da área da saúde do Tipo Um são atraídos pelo senso de ética, atenção aos detalhes e elevados padrões da profissão.

Entre as pessoas famosas nessas ocupações estão Al Gore e Joana D'Arc. Também é comum encontrar pessoas do Tipo Um em profissões que utilizam suas fortes habilidades organizacionais e pensamento analítico.

- **Carreiras científicas:** as pessoas do Tipo Um muitas vezes trabalham como cientistas, engenheiros e arquitetos. A forte atenção ao detalhe, aliada a padrões e metas elevados, faz com que as pessoas do Tipo Um se interessem e se destaquem nessas profissões.

- **Especialistas em impostos:** as pessoas do Tipo Um são excelentes contadores, preparadores de imposto de renda e auditores, profissões nas quais podem trabalhar cuidadosamente e aderir aos padrões determinados.

- **Área financeira:** as pessoas do Tipo Um se destacam nas operações bancárias, na indústria de hipotecas e em outras posições do setor financeiro que requerem uma cuidadosa atenção aos detalhes.

- **Organização da casa:** as pessoas do Tipo Um podem ser excelentes empreiteiros e organizadores profissionais, assegurando que o trabalho seja feito detalhadamente e de acordo com qualidade e padrões elevados.

- **Controle de qualidade**: a forte atenção aos detalhes torna as pessoas do Tipo Um excelentes editores e inspetores, entre outras posições que requerem uma aptidão semelhante para encontrar erros.

- **Profissionais administrativos**: as pessoas do Tipo Um podem aplicar sua perspectiva voltada para o detalhe a posições na área administrativa, no apoio administrativo e na assistência executiva.

Entre as pessoas famosas do Tipo Um nessas ocupações estão Martha Stewart e Tom Brokaw.

TIPO DOIS

As pessoas do Tipo Dois são muitas vezes atraídas para profissões voltadas para as pessoas e o serviço, nas quais proporcionam apoio e cuidados diretos para os outros.

- **Indústria dos cuidados com a saúde**: as posições na linha de frente dos cuidados – enfermeiros, terapeutas ocupacionais e médicos – são muitas vezes ocupadas por pessoas do Tipo Dois que adoram proporcionar um toque pessoal e carinho aos seus pacientes.

- **Profissionais terapêuticos**: muitas pessoas do Tipo Dois trabalham como psicólogos, terapeutas, assistentes sociais, fonoaudiólogos e *personal coaches*, profissões nas quais podem usar sua sintonia com as pessoas e os relacionamentos para ajudar os outros.

- **Educação e desenvolvimento infantil:** professor de educação especial, orientador vocacional, educador, babás e assemelhados são excelentes escolhas para as pessoas do Tipo Dois, que podem ajudar as crianças e estudantes a desenvolver a curiosidade intelectual combinada com o apoio pessoal.

- **Hospitalidade:** muitas pessoas do Tipo Dois trabalham nas indústrias de serviço de alimentação e hospitalidade. Nessas funções, elas podem proporcionar um apoio direto, serviço e satisfação.

- **Apoio administrativo:** funções de apoio, como recepcionistas e assistentes executivos, possibilitam que as pessoas do Tipo Dois prestem um excelente serviço e uma ajuda voltada para as relações entre as pessoas.

Entre as pessoas famosas do Tipo Dois nessas ocupações estão Richard Simmons e Florence Nightingale.

Encontramos também pessoas do Tipo Dois trabalhando em profissões que possibilitam que gerenciem e apoiem diretamente os relacionamentos entre outras pessoas.

- **Gerentes de negócios:** as pessoas do Tipo Dois são excelentes gerentes e supervisores em um ambiente comercial ou corporativo, onde podem ajudar a gerenciar os relacionamentos entre equipes ou entre diferentes níveis de gestão.

- **Ministério:** as pessoas do Tipo Dois se saem bem como ministros e em outras posições religiosas que envolvam o contato direto e o gerenciamento de relacionamentos com as congregações.

- **Orientadores de relacionamentos:** as pessoas do Tipo Dois muitas vezes se destacam em profissões como conselheiro matrimonial, terapeuta familiar, *coach* de negócios ou *coach* de relacionamentos, nas quais podem ajudar os outros a se comunicar e se dar bem.

▸ **Networker de profissionais**: funções como a de coordenador voluntário, recrutador profissional ou qualquer posição que envolva apresentar, socializar e interligar profissionais possibilitam que as pessoas do Tipo Dois utilizem sua capacidade de conectar os outros.

▸ **Atendimento ao cliente**: trabalhar o atendimento direto ao cliente possibilita que as pessoas do Tipo Dois usem sua competência em gerenciar relacionamentos, ao mesmo tempo que se esforçam para manter os clientes e os funcionários felizes.

Entre as pessoas famosas do Tipo Dois nessas ocupações estão o Bispo Desmond Tutu e Byron Katie.

TIPO TRÊS

As pessoas do Tipo Três são muitas vezes atraídas por posições que envolvem uma elevada visibilidade e que são voltadas para metas, com degraus de realização que elas podem galgar em direção ao sucesso.

▸ **Profissionais de negócios**: muitas pessoas do Tipo Três são bem-sucedidas em todos os níveis de negócios, indo de membros da equipe do escritório até consultores independentes e executivos. Os ambientes empresariais conferem às pessoas do Tipo Três a estrutura necessária para que criem um trabalho notório e bem-sucedido.

- **Profissões com alta visibilidade**: é comum encontrar pessoas do Tipo Três em ocupações proeminentes que também ajudam os outros, como a dos médicos, advogados e dentistas. As pessoas do Tipo Três são capazes de alcançar metas mensuráveis de sucesso nessas profissões e, ao mesmo tempo, ajudar.

- **Política**: um sentimento de querer ajudar os outros, aliado à capacidade de saber o que é necessário para vencer, confere a muitas pessoas do Tipo Três o interesse de se candidatar a cargos públicos, conduzir campanhas políticas e exercer outros cargos relacionados.

- **Comunicação**: os cargos de alta visibilidade na comunicação de massa, como na mídia televisiva e no radiojornalismo, nos assuntos públicos, nas reportagens jornalísticas e na mídia social, são compatíveis com a imagem refinada das pessoas do Tipo Três e sua mentalidade assertiva e voltada para metas.

- **Marketing e vendas**: as posições em marketing e nos departamentos de vendas, bem como posições independentes como a de corretor de imóveis, possibilitam que as pessoas do Tipo Três tenham um bom desempenho e fechem vendas e que usem seu espírito refinado para atingir metas e vender produtos de qualidade.

- **Profissionais de recursos humanos**: muitas pessoas do Tipo Três acabam combinando seu forte tino para os negócios com o desejo de apoiar outros profissionais no departamento de RH.

- **Cantores, apresentadores e atletas**: o interesse em entreter os outros, saber como atingir metas e ter sucesso muitas vezes torna as pessoas do Tipo Três estrelas refinadas nas indústrias do entretenimento, bem como no mundo esportivo, como atletas extremamente bem-sucedidos.

Entre as pessoas famosas do Tipo Três nessas ocupações estão Mitt Romney e Taylor Swift.

Outras pessoas do Tipo Três direcionam sua forte sensibilidade para saber como refinar, apoiar e motivar os outros para várias formas de sucesso.

► **Relações públicas**: as pessoas do Tipo Três muitas vezes têm sucesso como agentes, porta-vozes e gerentes de relações públicas que usam sua percepção da imagem para apresentar empresas e indivíduos de maneiras que geram o sucesso.

► **Coaches**: as pessoas do Tipo Três são excelentes *coaches* pessoais e de negócios, sendo particularmente competentes em inspirar as pessoas a definir metas e expressar o que têm de melhor e mais autêntico para atingir o sucesso na área que escolheram.

► **Consultor de imagem**: as pessoas do Tipo Três sabem como criar o refinamento necessário para ajudar os outros a ser bem-sucedidos, fazendo excelentes sugestões em áreas como a de cuidados pessoais, etiqueta e oratória.

► **Palestrante motivacional**: as pessoas do Tipo Três podem ser maravilhosos palestrantes motivacionais que inspiram os outros a avançar e alcançar seus próprios sonhos.

► **Profissional de apoio nos esportes**: os *coaches* esportivos, *personal trainers*, médicos esportivos e outras carreiras no esporte e na aptidão física conferem às pessoas do Tipo Três um espaço para que ajudem as equipes e os indivíduos a alcançar suas metas atléticas.

Entre as pessoas famosas do Tipo Três nessas ocupações estão o palestrante motivacional Tony Robbins e a fashionista Stacy London.

TIPO QUATRO

As pessoas do Tipo Quatro são muitas vezes encontradas em posições que estimulam a criatividade e a autoexpressão, com alguma flexibilidade para que possam trabalhar no seu próprio tempo.

- ▶ **Intérpretes criativos**: as pessoas do Tipo Quatro estão particularmente interessadas em desenvolver sua expressão criativa por meio de profissões criativas, como a de ator, artista, músico e dançarino.

- ▶ **Escritores e pesquisadores**: as pessoas do Tipo Quatro com talento para escrever ou para atividades intelectuais geram refinamento, criatividade e automotivação como redatores publicitários, romancistas e biógrafos, desenvolvedores de currículo, pesquisadores e jornalistas.

- ▶ *Designers*: as pessoas do Tipo Quatro podem desenvolver sua inclinação para a intensidade e a beleza como *designers* gráficos, criadores de desenhos animados, estilistas de moda, decoradores de interiores e paisagistas.

- ▶ **Marketing e recrutamento**: as pessoas do Tipo Quatro fazem um trabalho maravilhoso nos departamentos de marketing ou de recrutamento de pessoal nas empresas, adicionam sua criatividade às vendas e estão com frequência muito sintonizadas com quem será adequado a um cargo corporativo específico.

- ▶ **Empreendedores**: embora as pessoas do Tipo Quatro sejam bem-sucedidas em posições corporativas tradicionais, muitas preferem a flexibilidade criativa e a independência de trabalhar como *freelancer*, prestar consultoria, abrir um negócio ou combinar funções de tempo parcial.

Entre as pessoas famosas do Tipo Quatro estão Johnny Depp e Anne Rice. Outras pessoas do Tipo Quatro são atraídas por carreiras que apoiam as pessoas e os relacionamentos e que possibilitam que adicionem seu toque pessoal.

▶ **Diretores e gerentes:** as pessoas do Tipo Quatro usam sensibilidade e gentileza ao dirigir os outros nos negócios e adicionam um toque pessoal às posições de liderança. Muitas vezes, mas não sempre, dirigem empresas voltadas para a criatividade.

▶ **Professores:** as pessoas do Tipo Quatro são professores dedicados e atenciosos de pessoas de todas as faixas etárias, e são vistos particularmente lecionando profissões criativas, atividade na qual se destacam.

▶ **Profissionais terapêuticos:** a capacidade de escutar atentamente a história pessoal dos outros e o desejo de ajudar as pessoas a analisar seus sentimentos tornam as pessoas do Tipo Quatro excelentes terapeutas e *coaches*.

▶ **Praticantes da arte da cura:** as pessoas do Tipo Quatro são encontradas em muitas atividades ligadas à cura, entre elas as profissões tradicionais da área médica (nas quais podem introduzir uma abordagem holística). Elas também podem ser instrutoras de yoga e exercer atividades criadas por elas mesmas que combinem modalidades.

▶ **Trabalho humanitário e ativismo:** os sentimentos fortes não raro tornam as pessoas do Tipo Quatro apaixonadas por algumas causas. Podem ser encontradas trabalhando em várias funções em empresas sem fins lucrativos, na justiça social, no ativismo e em outras formas de apoio àquilo em que acreditam.

Entre as pessoas famosas do Tipo Quatro estão Don Riso (fundador do The Enneagram Institute) e Jackie Kennedy Onassis.

TIPO CINCO

Muitas pessoas do Tipo Cinco escolhem profissões especializadas, usando suas fortes habilidades informativas e analíticas para proporcionar conhecimento.

▶ **Profissões técnicas:** muitas pessoas do Tipo Cinco se destacam em profissões que incluem nas suas características a solução de problemas técnicos, como a ciência da computação, a codificação, o desenvolvimento de aplicativos e *websites*, o suporte técnico, a elaboração de textos técnicos e habilidades mecânicas.

▶ **Professor ou instrutor:** as pessoas do Tipo Cinco gostam de ensinar na sua área de especialização e em geral seguem carreiras nas áreas da ciência, da matemática, da filosofia, dos negócios e do direito.

▶ **Pensadores:** algumas pessoas do Tipo Cinco estão muito satisfeitas trabalhando em *think tanks* ou ocupando cargos em autarquias, onde podem usar seu raciocínio independente e sua análise estratégica de longo prazo para resolver grandes problemas globais.

▶ **Pesquisadores:** sua intensa curiosidade leva muitas pessoas do Tipo Cinco a conduzir ou participar de muitos gêneros de pesquisa. As pessoas desse Tipo têm sucesso nos laboratórios científicos, no trabalho de campo em psicologia ou arqueologia, em investigações teóricas em matemática ou filosofia ou em pesquisas práticas que ajudam a resolver problemas médicos, empresariais ou jurídicos.

OUTROS FATORES A CONSIDERAR

As Asas: o tipo da sua asa também pode influenciar a escolha da sua carreira e seu estilo de liderança no trabalho. Por exemplo, uma pessoa do Tipo Cinco com Asa Quatro pode se sentir mais inclinada a introduzir uma análise criativa e holística no seu trabalho, bem como a trabalhar de um modo independente. Um Tipo Cinco com Asa Seis pode tender mais para uma análise técnica ou financeira bem ajustada na sua profissão e trabalhar em um nicho independente em uma equipe maior.

As Flechas: lembre-se de que cada tipo tem uma flecha para dois outros tipos: o Ponto de Estresse e o Ponto de Segurança. Você poderá apreciar elementos de profissões e estilos de trabalho que suas flechas apreciam. Uma pessoa do Tipo Um, por exemplo, poderá querer introduzir uma liberdade criativa no seu trabalho por influência do Tipo Quatro, ou espontaneidade, diversão e possibilidades por influência do Tipo Sete.

Seus interesses e habilidades pessoais: como você viu, há uma grande variedade de profissões na lista de cada tipo – e muitas pessoas também têm sucesso em carreiras atípicas ao tipo delas. Seu estilo – bem como suas escolhas de trabalho e da carreira – também depende dos seus interesses, daquilo em que você se destaca e da sua história pessoal. Às vezes, essas características estão relacionadas com o tipo, mas nem sempre.

- **Engenheiros e arquitetos**: essas duas posições requerem uma sistematização com uma visão abrangente, um planejamento original e habilidades analíticas, áreas em que muitas pessoas do Tipo Cinco se destacam.

- **Analistas**: a paciência e a habilidade das pessoas do Tipo Cinco de sintetizar grandes quantidades de informações as torna muito competentes na análise organizacional financeira ou de dados.

- **Provedor de informações**: as pessoas do Tipo Cinco mais comunicativas gostam de fornecer informações especializadas para o público como docentes, guias de turismo, atendentes de estandes de informações e outras funções semelhantes.

Entre as pessoas famosas do Tipo Cinco nessas ocupações estão Bill Gates e Marie Curie.

As pessoas do Tipo Cinco também escolhem habitualmente trabalhar em posições nas quais podem ser independentes, não raro introduzindo originalidade na função.

- **Consultor de gestão ou *coach* de negócios**: a abordagem de longo prazo das pessoas do Tipo Cinco as torna extremamente competentes em desenvolver estratégias de longo prazo para empresas e funcionários, quer como consultores independentes, quer em uma função independente em uma empresa.

- **Escritor**: muitas pessoas do Tipo Cinco são excelentes escritores e apreciam a independência da atividade. É comum ver as pessoas do Tipo Cinco escrevendo obras de não ficção, particularmente sobre um conhecimento específico ou uma pesquisa investigativa que possam condensar para o público.

- **Profissões artísticas/criativas**: algumas pessoas do Tipo Cinco dirigem sua poderosa originalidade e seu espírito independente para as artes, tornando-se diretores de cinema, romancistas, artistas e músicos.

- **Fundador de *startup***: quando as pessoas do Tipo Cinco combinam originalidade, independência e um conjunto exclusivo de habilidades, elas são com frequência muito bem-sucedidas como fundadores de *startups*, particularmente na área do conhecimento técnico ou em outra área de interesse especial.

- **Trabalho remoto**: muitas pessoas do Tipo Cinco gostam de definir suas horas de trabalho e aceitar tarefas que possam fazer de um modo independente, como avaliações, entrada de dados e revisão de textos.

Entre as pessoas famosas nessas ocupações estão Tim Burton e Joan Didion.

TIPO SEIS

As pessoas do Tipo Seis muitas vezes acabam ocupando posições que têm uma estrutura definida e segura, criando um ambiente onde podem gerenciar o risco ou ajudar os outros a fazer isso.

- **Área financeira**: algumas pessoas do Tipo Seis são banqueiras, atuárias e ótimas gerentes financeiras, oferecendo uma abordagem cuidadosa e estruturada na qual os clientes podem confiar.

- **Governo**: as posições no governo em todos os níveis permitem que as pessoas do Tipo Seis sejam administradoras de instituições consagradas que também proporcionam certo grau de segurança no emprego.

- **Educação**: como professores do ensino fundamental, do ensino médio e do ensino superior, as pessoas do Tipo Seis oferecem cuidados confiáveis às pessoas ou às informações que dominam, garantindo oportunidades educacionais para as futuras gerações.

- **Ciência, engenharia e pesquisa**: semelhantes ao mundo acadêmico, essas áreas contêm regras e padrões aos quais as pessoas do Tipo Seis podem aderir enquanto fazem suas próprias contribuições.

- **Ministério**: como ministros da igreja ou membros do clero, as pessoas do Tipo Seis protegem as tradições religiosas e oferecem um apoio pastoral compassivo à comunidade como um todo.

- **Controle de qualidade**: as pessoas do Tipo Seis executam um trabalho maravilhoso como inspetores de instalações de saúde e segurança ou como auditores de empresas, garantindo cuidadosamente que os padrões de saúde e qualidade estejam adequados.

- **Gerenciamento de projetos e profissionais administrativos**: as pessoas do Tipo Seis são excelentes gerentes de projetos, já que conseguem criar estruturas que minimizam o risco e garantem que todos os elementos sejam examinados pela equipe.

Entre as pessoas famosas do Tipo Seis nessas ocupações estão George H. W. Bush e a Princesa Diana.

Por outro lado, algumas pessoas do Tipo Seis têm sucesso em situações de muita pressão, nas quais podem de fato "pegar no pesado" e agir.

- ▶ **Socorristas:** as pessoas do Tipo Seis muitas vezes demonstram interesse por ser bombeiros, paramédicos, médicos e membros da equipe da sala de emergência – pessoas que podem reagir com competência nos momentos de crise.

- ▶ **Saúde mental e apoio a pessoas viciadas:** algumas pessoas do Tipo Seis gostam de prestar um apoio ativo, prático e firme, como psicólogos, terapeutas, assistentes sociais, orientadores de pessoas viciadas e membros dos serviços de linha direta nas situações de crise.

- ▶ **Polícia e forças armadas:** o trabalho nesses órgãos combina a participação em posições culturalmente definidas e estruturadas, ao mesmo tempo que oferece a oportunidade de risco, de emoção e de salvar vidas.

- ▶ **Defensores profissionais:** as pessoas do Tipo Seis fazem um trabalho maravilhoso ao defender as pessoas que precisam de ajuda, quer estejam diretamente envolvidas em posições que apoiam essas pessoas (como defendendo-as na sala do tribunal ou em outro ambiente formal ou como advogados especializados) ou ao definir políticas de alto nível.

- ▶ **Intérpretes:** por combinar tenacidade com vulnerabilidade, muitas pessoas do Tipo Seis são excelentes atores, comediantes e outros tipos de intérprete – pessoas que nos fazem lembrar da amplitude da humanidade em suas apresentações.

Entre as pessoas famosas do Tipo Seis nessas ocupações estão David Letterman e Julia Roberts.

TIPO SETE

As pessoas do Tipo Sete são muito atraídas por posições que demandem flexibilidade, espontaneidade e habilidade de criar novas possibilidades no emprego.

- **Diretores**: é particularmente comum encontrar pessoas do Tipo Sete dirigindo empreendimentos com um espírito divertido, como em agências de publicidade, centros de retiro ou colônias de férias. As pessoas do Tipo Sete responsáveis apresentam muitas ideias excelentes e fazem com que a equipe as execute.

- **Empreendedores**: muitas pessoas do Tipo Sete têm a capacidade de gerar ideias ilimitadas e gostam de correr os riscos que um novo negócio apresenta. Não é raro encontrar pessoas do Tipo Sete trabalhando como "empreendedores em série" – pessoas que fundam uma empresa ou uma *startup*, tornam-na bem-sucedida e depois seguem para o empreendimento seguinte.

- **Profissionais generalistas**: o dom da expansão e a capacidade de realizar muitas coisas ao mesmo tempo permitem que encontremos muitas pessoas do Tipo Sete em posições nas quais são multitarefas, como medicina interna e de emergência, funções que requerem o domínio de muitos idiomas e cargos de gerência.

- **Marketing e vendas:** ao atuar nessas duas áreas, as pessoas do Tipo Sete podem usar seus pontos fortes para gerar ideias e entreter os outros com o objetivo de concretizar vendas, realizar várias tarefas ao mesmo tempo e ter variedade no seu dia de trabalho.

- **Comunicação e mídia:** muitas pessoas do Tipo Sete apreciam a interação com os outros em áreas como mídia social, jornalismo e outras formas de comunicação de massa.

- **Militantes e ativistas:** particularmente em novas campanhas, as pessoas do Tipo Sete criam ou executam planos ambiciosos desde o início, com liberdade e espontaneidade nos seus movimentos. Essas funções também possibilitam que sejam batalhadoras idealistas.

- **Profissões relacionadas com viagens:** na qualidade de pilotos, comissários de bordo, guias de turismo, escritores de viagem, professores de idiomas e tradutores. As pessoas do Tipo Sete têm espírito de aventura e um potencial de carreira ilimitado.

Entre as pessoas famosas do Tipo Sete nessas ocupações estão Richard Branson e Amélia Earhart.

Outras pessoas do Tipo Sete são atraídas especificamente para funções nas quais podem levantar o ânimo das pessoas por meio da sua habilidade de espalhar alegria e felicidade.

- **Profissões de ajuda:** certas pessoas do Tipo Sete são levadas a ser terapeutas, orientadores psicológicos e profissionais da área médica, pois gostam de enxergar o que há de melhor nas pessoas e elevar o espírito delas.

- **Planejamento e execução de eventos**: planejar e preencher várias funções em eventos, como a coordenação de alimentos e bebidas ou a contratação do DJ, dá às pessoas do Tipo Sete a oportunidade de criar eventos que são divertidos e edificantes para os outros e para si mesmas.

- **Trabalho com crianças**: as crianças estão repletas de potencial e é divertido estar com elas, de modo que é compreensível que muitas pessoas do Tipo Sete gostem de trabalhar como psicólogos infantis, pediatras, professores, profissionais de educação especial, funcionários de creches e monitores de acampamentos.

- **Entretenimento**: a percepção do que elas, e os outros, acham divertido ou emocionante torna as pessoas do Tipo Sete cativantes intérpretes, músicos, comediantes, palhaços e qualquer outra profissão na área do entretenimento.

- **Indústria da hospitalidade**: empregos como funcionário de hotel, *barman* e garçom oferecem às pessoas do Tipo Sete uma infinita variedade no emprego, bem como oportunidades de conhecer e entreter diferentes pessoas todos os dias.

- **Assistente**: uma boa atitude e a capacidade de fazer muitas coisas ao mesmo tempo – e de fazer planos imediatos – torna as pessoas do Tipo Sete excelentes assistentes pessoais, estilistas, *office boys* ou profissionais administrativos.

Entre as pessoas famosas do Tipo Sete nessas ocupações estão Robin Williams e Katy Perry.

TIPO OITO

Muitas pessoas do Tipo Oito são atraídas para ocupações nas quais executam um trabalho impactante, muitas vezes em posições de liderança.

▶ **Executivo ou CEO**: seja nas empresas, no governo, na educação ou em empresas sem fins lucrativos, a autoconfiança natural e o posicionamento das pessoas do Tipo Oito não raro as conduzem a cargos de liderança de alto nível.

▶ **Gerentes**: as pessoas do Tipo Oito apreciam liderar e estar ativamente engajados com os outros. Elas têm uma grande energia e se saem bem em posições gerenciais nas empresas.

▶ **Fundador de empresas ou empresário**: o desejo de dar as ordens e causar impacto e mudança imediatos não raro leva as pessoas do Tipo Oito a fundar sua própria empresa ou assumir funções empresariais.

▶ **Coordenadores políticos**: o desejo de proteger e apoiar os outros significa que algumas pessoas do Tipo Oito são atraídas para trabalhar na política ou como coordenadoras de campanha – funções nas quais podem gerar grandes mudanças.

▶ **Palestrante motivacional**: as pessoas do Tipo Oito têm a capacidade maravilhosa de empoderar e estimular pessoas. Os discursos motivacionais permitem que transmitam sua mensagem para grandes grupos.

Entre as pessoas famosas do Tipo Oito nessas profissões estão Sheryl Sandberg e o dr. Martin Luther King Jr.

Outras pessoas do Tipo Oito gostam de posições nas quais precisam tomar decisões rápidas e tenham proximidade com pessoas por meio do trabalho físico ou do trabalho ativamente engajado.

- ▶ **Coaches executivos e de liderança:** sua segurança inata e sua capacidade natural de liderar significam que as pessoas do Tipo Oito são excelentes para ensinar os outros a ser líderes mais competentes ou melhorar a posição hierárquica deles no escritório.

- ▶ **Profissões relacionadas com a propriedade:** como empreiteiros, investidores, gerentes comerciais e de propriedade, zeladores e senhorios. As pessoas do Tipo Oito podem trabalhar de uma maneira independente ou se engajar ativamente no local de modo que cause grande impacto e dê apoio aos outros.

- ▶ **Motoristas de caminhão:** essa posição combina o imediatismo físico com viagens arriscadas e a possibilidade de ser seu próprio patrão.

- ▶ **Oficiais das forças armadas:** nas forças armadas, as pessoas do Tipo Oito têm a oportunidade de avançar na liderança, proteger e fortalecer os outros e encontrar aventura.

- ▶ **Segurança e serviço público:** como policiais, bombeiros, paramédicos e outros agentes de segurança pública, as pessoas do Tipo Oito têm a oportunidade de usar sua energia para reagir nas crises e ajudar os outros de uma maneira imediata.

- ▶ **Profissionais de aptidão física:** muitas pessoas do Tipo Oito gostam de trabalhar com o físico e a força. Não é raro encontrar pessoas do Tipo Oito se destacando como atletas, *coaches* esportivos, *personal trainers* e professores de academia.

▶ **Guardas de segurança**: independentemente da sua estatura, as pessoas do Tipo Oito sabem como apresentar uma postura confiante. Muitas gostam de usar suas habilidades para proteger bancos, áreas públicas e espaços de entretenimento.

Entre as pessoas famosas do Tipo Oito nessas ocupações estão Napoleão Bonaparte e Serena Williams.

TIPO NOVE

Com frequência, as pessoas do Tipo Nove são bem-sucedidas em funções estratégicas nas quais são capazes de criar mudanças de uma maneira lenta e cuidadosa.

▶ **Posições de liderança**: as pessoas do Tipo Nove são tão agradáveis que, com frequência, são promovidas a posições de liderança em muitos segmentos – empresas tradicionais, órgãos do governo, organizações sem fins lucrativos etc. Elas se destacam em instituições consagradas que precisam de uma liderança sistemática, sóbria e com ritmo lento.

▶ **Historiadores e cientistas**: trabalhar como historiador, cientista ou em outras áreas acadêmicas e voltadas para a pesquisa possibilita que as pessoas do Tipo Nove criem teorias e observações únicas e globais – observações que requerem um profundo entendimento de como o passado afeta o presente. Também são professores pacientes nas suas áreas de conhecimento.

▶ **Posições financeiras**: muitas pessoas do Tipo Nove são encontradas em várias posições bancárias e financeiras que envolvem uma perspectiva privilegiada, conservadora e visionária para que seja possível tomar decisões cuidadosas e importantes. Também são excelentes analistas empresariais.

O ENEAGRAMA NO TRABALHO **137**

- **Líderes comunitários**: a capacidade de reunir as pessoas, aliada à paciência e às habilidades de criar estratégias de longo prazo, possibilita que as pessoas do Tipo Nove desenvolvam relacionamentos e um planejamento que criem mudanças onde necessário.

- **Profissões criativas e técnicas**: as pessoas do Tipo Nove com inclinação criativa ou técnica têm a paciência e dedicação necessárias para se destacar nas artes, na música, na *web* ou no *design* gráfico, no desenvolvimento de aplicativos, na escrita e em outros empreendimentos criativos.

- **Ocupações ao ar livre**: várias pessoas do Tipo Nove se sentem muito ligadas à natureza. Usam seus pontos fortes no planejamento a longo prazo para se destacar em atividades na área agrícola, como guardas-florestais, paisagistas e até mesmo trabalhadores da construção civil.

Entre as pessoas famosas do Tipo Nove nessas ocupações estão Ronald Reagan e Whoopi Goldberg.

Outras pessoas do Tipo Nove gostam de trabalhar em ocupações onde criam um espírito de paz e harmonia para os que estão à sua volta.

- **Mediador jurídico**: como mediadores, as pessoas do Tipo Nove asseguram que os conflitos sejam resolvidos e a harmonia seja mantida em batalhas judiciais complicadas. As pessoas do Tipo Nove também podem ser encontradas em outras posições no sistema jurídico.

- **Gerentes**: as pessoas do Tipo Nove são gerentes amáveis e dedicados que tendem a ser populares com seus funcionários.

Nas funções de gerência, asseguram que o conflito seja minimizado e a harmonia seja mantida no escritório.

▸ **Terapeutas:** é particularmente comum encontrar pessoas do Tipo Nove trabalhando como terapeutas de família ou conselheiros matrimoniais – profissões nas quais ajudam a criar e manter relacionamentos harmoniosos. As pessoas do Tipo Nove também são psicólogos e terapeutas pacientes e dedicados.

▸ **Profissionais especializados em crianças de 3 a 8 anos:** possuidoras de uma paciência aparentemente infinita, algumas pessoas do Tipo Nove sentem um grande prazer em ajudar as crianças pequenas a crescer. As pessoas do Tipo Nove podem se interessar por trabalhar com essas crianças como educadores, funcionários de creches e jardins de infância, terapeutas ou pediatras.

▸ **Profissionais que cuidam de animais:** as pessoas do Tipo Nove podem sentir uma conexão intuitiva com os animais e podem se sentir inclinadas a trabalhar como veterinários ou treinadores de animais, ou ainda em zoológicos ou em profissões ao ar livre que tenham a fauna selvagem por perto.

▸ **Profissões ligadas ao atletismo:** assim como as pessoas do Tipo Oito, as pessoas do Tipo Nove muitas vezes se sentem conectadas ao seu corpo. Podem ser excelentes atletas, destacando-se com frequência em esportes individuais. Seu conhecimento de atletismo e sua dedicação também as levam a ser médicos esportivos, fisioterapeutas e outros tipos de profissionais que cuidam dos atletas.

Entre as pessoas famosas do Tipos Nove nessas ocupações estão Fred Rogers e Carl Jung.

A APLICAÇÃO DO ENEAGRAMA

O trabalho é apenas uma das áreas práticas nas quais as pessoas consideram o Eneagrama útil. Ao aprender a respeito do seu tipo, você obtém uma noção mais clara das habilidades baseadas na personalidade que leva ao seu trabalho e das maneiras pelas quais você pode contribuir. Também obtém um melhor entendimento das pessoas com quem trabalha, o que é inestimável para resolver as situações de conflito que surgem com frequência nos ambientes colaborativos. No próximo capítulo, vamos sair do escritório e ir para a esfera doméstica, onde iremos examinar outra área do Eneagrama de aplicação prática: a dinâmica dos relacionamentos.

O ENEAGRAMA NOS RELACIONAMENTOS

Os seres humanos são criaturas sociais. Nossa vida está profundamente entrelaçada com a vida de outras pessoas. Temos vínculos duradouros e complexos com a nossa família. Valorizamos nossas amizades e colaboramos com equipes e colegas no escritório. Interagimos nas nossas redes no trabalho e nas nossas comunidades. A maioria de nós busca relacionamentos românticos e parcerias. No nosso mundo cada vez mais globalizado – um mundo no qual nossas experiências *on-line* se entrecruzam com os contatos presenciais –, gerenciar nossos relacionamentos se tornou mais complexo e importante do que nunca. Os relacionamentos são uma parte importante da nossa vida e são acompanhados pelos seus conjuntos específicos de ganhos e desafios.

Quando conversamos com as pessoas a respeito do Eneagrama, a maneira mais comum pela qual querem aplicá-lo é nos seus relacionamentos pessoais. Não raro, elas querem saber qual é o tipo de seu cônjuge, seu filho ou sua filha; querem usar o Eneagrama como um trampolim para o entendimento de como se relacionar melhor com seus entes queridos. Quando são solteiras, as pessoas desejam saber que tipo de parceiro devem procurar (falaremos mais a respeito desse assunto posteriormente). A boa notícia é que o Eneagrama pode ajudar com tudo isso.

Neste capítulo, vamos examinar como cada tipo do Eneagrama se comporta nos relacionamentos. Vamos investigar os talentos que cada tipo possui e elucidar maneiras de nos comunicarmos com eles. Vamos mergulhar no mundo do namoro e explorar as águas da dinâmica familiar.

Há muito o que aprender, então vamos começar.

Superando o medo dos encontros românticos

O que você deve fazer quando está com esperança de encontrar um relacionamento, mas não tem certeza de como fazer isso? A irmã de Julia, Mary, nos dá um exemplo perfeito desse dilema. Mary é um Tipo Seis no Eneagrama, tem 30 anos e trabalha como consultora financeira em uma cidade diferente daquela onde mora sua família. Rompeu há um ano com sua namorada de longa data e está querendo ter um novo relacionamento.

Por sugestão de uma amiga, ela criou um perfil em um aplicativo, no qual foi compatível com uma interessante terapeuta chamada Dasha. De repente, ela percebe que tem uma mensagem de Dasha aguardando na sua caixa de entrada. Na mensagem, Dasha faz perguntas a respeito de alguns interesses que Mary relacionou no seu perfil e a convida para um café.

Mary está preocupada porque acha que as regras dos encontros românticos podem ter mudado desde a última vez em que procurou um romance. Tem medo de cometer uma gafe e se pergunta se tem as qualidades necessárias para atrair uma boa parceira. E se Dasha se encontrar com ela e chegar à conclusão de que Mary não é tão interessante quanto seu perfil descreve? Ela não consegue deixar de imaginar os piores cenários possíveis. Ela se pergunta se deve recusar o convite. Na sua ligação semanal com Julia no Skype, ela pede conselhos à irmã.

Julia não é a primeira pessoa a quem Mary pede uma opinião. Depois de investigar um pouco, ela descobre que Mary fez as mesmas perguntas a várias amigas. "O que devo fazer? O que devo dizer? Devo fingir que não vi a mensagem?" Julia pergunta a Mary se ela realmente gostaria de conhecer Dasha. "Claro que sim!", responde Mary. "Só estou com medo de estragar tudo." Julia diz a Mary que deve ouvir sua voz interior – uma voz que, naquele momento, a está incentivando a sair e conhecer pessoas. Se as coisas não derem certo com Dasha, ela pode conhecer muitas outras pessoas no aplicativo de namoro.

Mary responde à mensagem de Dasha, e elas se encontram na cafeteria predileta de Mary. Dasha é mais reservada do que Mary, que percebe que está falando demais. Em alguns momentos, ela tropeça nas palavras. Em vez de achar graça, Dasha sorri, incentivando-a. Aparentemente um Tipo Nove no Eneagrama, Dasha tem um jeito delicado e tranquilizador que aos poucos deixa Mary à vontade. Mary dá consigo incentivando Dasha a participar mais da conversa. Ela fica surpresa ao se dar conta de que está tomando a iniciativa de fazer planos para um segundo encontro, com animada expectativa e quase nem um pouco preocupada a respeito de como as coisas vão se desenrolar.

CONHECENDO PESSOAS

Independentemente do seu tipo, você pode estar em um momento da vida em que está buscando um relacionamento. Com redes de contatos e aplicativos de namoro acessíveis com um leve toque do nosso dedo, temos à disposição mais ferramentas para encontrar o romance do que jamais tivemos antes. Ainda assim, expor-nos pode ser assustador. Eis algumas dicas para orientar cada tipo na hora de se arriscar.

Tipo Um: as pessoas do Tipo Um tendem a buscar um relacionamento ideal, em harmonia com seus princípios. Sua abordagem do namoro "rigidamente de acordo com as regras" significa que têm uma lista de critérios que estão procurando em um parceiro. Mesmo assim, as pessoas pelas quais as do Tipo Um se sentem atraídas raramente satisfazem a todos eles. As pessoas do Tipo Um não precisam ser perfeitas para atrair o parceiro certo: o fato de que ter encontros românticos pode ser divertido já as surpreende. Em vez de procurar o par perfeito, elas podem tentar se aproximar de pessoas que pareçam interessantes. Se você for do Tipo Um, permaneça aberto para o inesperado.

Tipo Dois: para encontrar o amor, as pessoas do Tipo Dois acreditam que precisam ser carinhosas e generosas. Desse modo, as pessoas do Tipo Dois se concentram em muitas perspectivas românticas, adaptando-se às necessidades e aos interesses dos outros. Elas se concentram em conhecer, atrair ou mostrar apreciação pelas pessoas com quem saem, em vez de deixar seu caráter único transparecer. Você poderia tentar fazer as coisas ao contrário: procurar pessoas que compartilhem suas paixões, planejar encontros que você ache divertidos e ver o que acontece.

Tipo Três: as pessoas do Tipo Três são atraídas pelo sucesso e pela imagem, e uma boa apresentação é importante para elas. Podem se concentrar em cultivar um "visual" ou estilo muito particular ou passar uma impressão desejável e admirável para as pessoas com quem têm encontros românticos. No entanto, o gerenciamento da imagem pode ocorrer à custa da verdadeira conexão. Concentre-se menos em impressionar as pessoas com quem sai e mais em ser genuíno. Relaxe e baixe a guarda quando você sair.

Tipo Quatro: assim como as pessoas do Tipo Um, as pessoas do Tipo Quatro procuram um parceiro ideal, mas são motivadas pela imaginação e não por princípios. Muitas vezes elas têm fantasias a respeito de possíveis pretendentes com quem vão se encontrar e podem se enamorar por uma idealização antes de conhecer a verdadeira pessoa. O namoro *on-line* ou os encontros às cegas são particularmente perigosos, de modo que é melhor conhecer a outra pessoa o mais cedo possível porque a realidade pode não corresponder à fantasia. Concentre-se em se conectar com a pessoa com quem estiver saindo. Conscientize-se da sua tendência de idealizar.

Tipo Cinco: apaixonadas pelos seus interesses, porém desajeitadas do ponto de vista interpessoal, as pessoas do Tipo Cinco tendem a ser reservadas e demoram a se abrir. É proveitoso para as pessoas do Tipo Cinco criar um entrosamento, comunicando-se durante algum tempo com a pessoa antes de encontrá-la. O namoro *on-line* pode ser muito adequado. Quando chegar o dia de vocês se encontrarem, procure marcar um encontro em torno de um interesse mútuo ou de uma atividade divertida onde possa se soltar. Adicionar alegria à equação reduzirá o nervosismo e o mal-estar. Se vocês interagirem por meio de um assunto que interesse a ambas, a conversa fluirá com facilidade.

Tipo Seis: em busca de uma relação ideal, as pessoas do Tipo Seis procuram um parceiro que seja dedicado e confiável, mas tendem a ser céticas com relação a encontrar um. Podem ter dúvidas a respeito das pessoas com quem estão saindo, de modo que pedem a opinião dos outros. No entanto, é mais interessante que as pessoas do Tipo Seis prestem atenção a como reagem às pessoas com quem estão saindo do que duvidar de si mesmas ou consultar os outros. Em vez de ouvir a opinião do seu "comitê", saia com algumas pessoas e concentre-se em ouvir sua intuição. Quem e o que lhe parece adequado?

Tipo Sete: as pessoas do Tipo Sete são atraídas por opções e não gostam de ser pressionadas ou controladas. Para algumas pessoas desse tipo, ter encontros românticos parece um jogo estimulante, rico em possibilidades. Tantos encontros em perspectiva, tão pouco tempo! Para extrair o máximo da sua experiência nos encontros, é melhor focar sua energia e avaliar com um propósito. Concentre-se em entrar em contato apenas com algumas pessoas de cada vez e prosseguir caso deseje levar as coisas adiante. Se estiver envolvido, interrompa temporariamente a busca de outros possíveis candidatos.

Tipo Oito: as pessoas do Tipo Oito podem apreciar a energia dos encontros românticos, mas quando as coisas se tornam mais pessoais ou emocionais, elas muitas vezes se sentem como peixe fora da água. As pessoas do Tipo Oito gostam de estar no controle durante os encontros, mas às vezes podem parecer intimidantes ou isoladas, dificultando a criação de vínculo. Construa o vínculo pedindo às pessoas com quem sai que falem sobre si mesmas. Demonstre que você está aberto e atento e deixe que seu lado mais suave venha à tona: isso será apreciado.

Tipo Nove: as pessoas do Tipo Nove aceitam as coisas como elas são, o que as torna companhias descontraídas e agradáveis para muitas pessoas. No entanto, começar a agir em função dos seus desejos representa um desafio para elas. As pessoas do Tipo Nove podem querer ter encontros românticos, mas hesitam em fazê-lo. Se você é um Tipo Nove, a assertividade e o ímpeto serão muito proveitosos. Experimente dar o primeiro passo entrando em contato com alguém interessante. Depois, assuma o compromisso de que irão fazer alguma coisa juntos.

Os tipos nos relacionamentos

Vamos examinar o que cada tipo está procurando nos relacionamentos, bem como seus pontos fortes e as armadilhas mais comuns. Embora essas informações estejam voltadas para os relacionamentos românticos, elas também podem ser aplicadas às amizades, aos laços familiares e aos relacionamentos profissionais. Assim como o capítulo anterior sobre os tipos de carreira, esses perfis examinam características comuns e generalidades dentro dos tipos do Eneagrama. Os detalhes e comportamentos específicos podem variar entre pessoas do mesmo tipo, dependendo da experiência de vida, da dinâmica interpessoal e do nível de saúde psicológica de cada pessoa. As pessoas mais saudáveis são mais resilientes, compreensivas e abertas nos seus relacionamentos. As pessoas nos níveis médio e inferior são mais propensas a ter conflitos.

TIPO UM: IDEAIS ELEVADOS

As pessoas de todos os tipos do Eneagrama tendem a procurar parceiros que manifestem os traços mais saudáveis do seu próprio tipo, e as do Tipo Um não são exceção. Tendem a buscar relacionamentos românticos com pessoas que se comportem com muita integridade – que estejam caminhando em direção à sua essência gentil e ao aprimoramento de si mesmas ou do mundo que as cerca. As pessoas do Tipo Um são muitas vezes atraídas por parceiros com valores igualmente elevados, quer estejam envolvidas com causas políticas ou uma maneira específica de administrar a casa ou de criar os filhos.

Não raro, as pessoas do Tipo Um têm uma ideia muito particular do que gostariam em um parceiro, dependendo do que consideram "bom" ou "certo". O estereótipo de criar uma longa lista de critérios para um parceiro "ideal" procede desse tipo. Não precisa ser uma lista de verificação escrita, pode ser algo informal que está na cabeça da pessoa do Tipo Um.

ATRIBUTOS E ATITUDES

As pessoas do Tipo Um na faixa saudável são parceiras altamente conscienciosas que buscam fazer a coisa certa nos seus relacionamentos. Têm um forte senso de integridade e justiça e se atêm a esses padrões em seus parceiros. Elas são dedicadas e compassivas e respeitam as iniciativas das outras pessoas.

As pessoas do Tipo Um na faixa média podem descarregar suas frustrações nos parceiros, criticando-os quando não correspondem aos seus ideais e padrões elevados. Isso pode fazer com que os parceiros se sintam magoados e desprezados, sobretudo se o parceiro do Tipo Um nem sempre viver à altura dos elevados padrões que eles próprios pregam.

CONSTRUINDO UM RELACIONAMENTO SAUDÁVEL

Se seu parceiro for do Tipo Um, é importante que tenha em mente que críticas e comentários como "você deveria" são, muitas vezes, um sinal de interesse e preocupação. As pessoas do Tipo Um querem que aqueles que eles amam estejam sempre em sua melhor forma sob todos os aspectos. Seu parceiro está apenas tentando lhe dar sugestões úteis. Em geral, as pessoas do Tipo Um não têm consciência de que suas sugestões afetuosas podem ser percebidas como críticas.

Ajudar seu parceiro do Tipo Um a relaxar abrandará a tensão e a rigidez dele. Muitas pessoas do Tipo Um podem ser fisicamente tensas: se seu parceiro é assim, ofereça-se para fazer uma massagem, prepare um banho de banheira ou ajude-o a encontrar outra atividade fisicamente relaxante. Descubra coisas que você possa fazer com seu parceiro que ele ache divertidas. Dê a ele permissão para se soltar um pouco propondo e planejando atividades que vocês dois apreciem.

TIPO DOIS: UM VÍNCULO SINCERO

As pessoas do Tipo Dois estão procurando, acima de tudo, uma conexão centrada no coração. As pessoas do Tipo Dois gostariam de ter relacionamentos com pessoas amorosas que tragam um sentimento de carinho e compreensão ao relacionamento. As pessoas do Tipo Dois também apreciam parceiros que têm um forte senso de empatia e que estão interessados em desenvolver relacionamentos e vínculos.

As pessoas do Tipo Dois também podem ser atraídas, intencional ou involuntariamente, para relacionamentos com pessoas que sentem que podem ajudar – que eles podem "corrigir". Por exemplo, se uma pessoa do Tipo Dois tiver uma grande rede de contatos e gostar de desenvolver relacionamentos, ela pode se sentir atraída por um parceiro tímido do ponto de vista social. Ou então, caso goste de cuidar dos outros por meio de tarefas domésticas, ela pode procurar um parceiro que não goste dos serviços domésticos ou de consertar coisas, ou ainda que tenha dificuldades com isso. Essa atração de opostos ajuda as pessoas do Tipo Dois a sentir que têm algo a oferecer em troca do amor.

ATRIBUTOS E ATITUDES

As pessoas do Tipo Dois na faixa saudável tendem a demonstrar muita ternura e apreço pelos seus parceiros, tanto de uma maneira verbal quanto por meio das suas ações. Tendem a ser intuitivas sobre garantir que as necessidades dos parceiros sejam satisfeitas. As pessoas do Tipo Dois sempre suprirão seus parceiros com o que possam precisar e farão isso de uma maneira altruísta e humilde. Elas são parceiras meigas, emocionalmente conectadas e generosas.

As pessoas do Tipo Dois da faixa média podem se tornar manipuladoras nos relacionamentos. Às vezes podem ir longe demais na sua "ajuda", fazendo coisas que seus parceiros não precisam e que não pediram. Podem esperar ajuda e reconhecimento excessivos pelas suas ações, ficando ressentidas e carentes quando o parceiro não oferece o tipo de amor que desejam.

CONSTRUINDO UM RELACIONAMENTO SAUDÁVEL

Quando as pessoas do Tipo Dois começam a ajudar em excesso, é importante ter em mente que elas estão buscando apoio emocional e amor – tenham ou não consciência disso. Apoie seu parceiro valorizando a ajuda solidária que você precisa. Quando o comportamento dele parecer manipulador, determine quais são as necessidades dele e esforce-se para satisfazê-las.

As pessoas do Tipo Dois podem ser tão focadas nos relacionamentos românticos que chegam a negligenciar suas próprias necessidades. Incentive seu parceiro a explorar seus próprios interesses. Elogie-o pelas habilidades dele não relacionadas com a ajuda que lhe dá (por exemplo, a capacidade intelectual). Dê a ele a oportunidade de experimentar sozinho coisas

O ENEAGRAMA NOS RELACIONAMENTOS **153**

novas, mesmo que você não se interesse por elas. Empurre-o delicadamente em direção a atividades que interessem a ele e o levem a cuidar de si mesmo.

Mitos desastrosos a respeito da compatibilidade
"Com que tipo sou mais compatível?" Se ganhássemos 25 centavos cada vez que ouvíssemos essa pergunta, poderíamos sair para jantar com o dinheiro. A compatibilidade é complexa. Embora os relacionamentos entre dois tipos, não importa quais sejam, tenham altos e baixos previsíveis (consulte a seção Recursos na p. 216), pessoas do mesmo tipo podem ser atraídas por diferentes personalidades, dependendo de sua experiência, sua formação e suas preferências pessoais. O mais importante é encontrar um parceiro que compartilhe seus valores e metas. Como sugere Tom Condon, professor de Eneagrama: procure "um tipo saudável que o ame!".

TIPO TRÊS: UMA PESSOA AUTÊNTICA

As pessoas do Tipo Três são atraídas por parceiros que valorizam a autenticidade. Apreciam parceiros motivados, orientados para metas e comprometidos com uma vida que reflete quem são. As pessoas do Tipo Três apreciam parceiros que trabalham arduamente, mas também gostam daqueles que criam um equilíbrio harmonioso entre a vida e o trabalho e que demonstram que são sinceros e se esforçam para que o relacionamento dê certo.

As pessoas do Tipo Três buscam muitas vezes uma pessoa "ideal" para ser seu parceiro. O significado de "ideal" pode variar em função das expectativas familiares e culturais. Algumas pessoas do Tipo Três, por exemplo, podem desejar um parceiro que seja tranquilo e dedicado ao lar, ao passo que outras podem preferir alguém com uma carreira de alto nível e que seja versátil. As pessoas do Tipo Três também podem buscar relacionamentos que tenham uma aparência favorável: um parceiro que sua família aprove, alguém que favoreça a imagem profissional do Tipo Três ou até mesmo um relacionamento que pareça "instigante".

ATRIBUTOS E ATITUDES

As pessoas do Tipo Três na faixa saudável dão o melhor de si nos relacionamentos, demonstrando consideração aos seus parceiros ao fazer seja o que for que fazem melhor. Permanecem inspiradas para trabalhar em si mesmas e nos seus relacionamentos, não raro motivando o parceiro a fazer o mesmo. Elas têm orgulho do que seu parceiro traz para a relação. Sabem como elogiar e fazer com que ele se sinta valorizado.

As pessoas do Tipo Três na faixa média podem se tornar escorregadias nos relacionamentos. Podem dar a impressão de que estão tentando "se promover", fazendo com que o parceiro se pergunte quem é realmente a pessoa que ele ama. Também tendem a ser trabalhadores compulsivos, negligenciando seus relacionamentos na tentativa de alcançar seu próprio sucesso.

CONSTRUINDO UM RELACIONAMENTO SAUDÁVEL

Lembre-se de que quando seu parceiro do Tipo Três estiver exigindo atenção para si mesmo, o que ele realmente está buscando é aceitação e aprovação. Demonstre reconhecimento ao seu

O ENEAGRAMA NOS RELACIONAMENTOS **155**

parceiro do Tipo Três quando ele fizer alguma coisa de valor, quer o tenha ajudado nos trabalhos domésticos ou feito uma ótima apresentação no trabalho. Crie um espaço seguro no qual ele possa expressar para você as dúvidas e incertezas que alimenta. Encoraje-o a se abrir e se conectar com você. Incentive seu parceiro do Tipo Três a se desligar de tempos em tempos. Planeje um dia relaxante para passarem juntos ou sugira que participe de práticas para se conectar consigo mesmo. Evitar atividades extravagantes ou muito animadas em prol das mais tranquilas pode ajudar. As pessoas do Tipo Três permanecem em harmonia com o coração delas, o que as torna parceiros românticos dedicados e profundamente comprometidos.

TIPO QUATRO: UM MERGULHO PROFUNDO

As pessoas do Tipo Quatro apreciam os parceiros românticos que trazem profundidade emocional para o relacionamento. Procuram relações nas quais uma profunda sinceridade é compartilhada por ambos os parceiros e valorizam aqueles que estão interessados em buscar seu próprio crescimento pessoal. As pessoas do Tipo Quatro também estão buscando parceiros que possam espelhá-las – parceiros que possam ajudá-las a se sentir visíveis e reconhecidas no relacionamento.

As pessoas do Tipo Quatro tendem a fantasiar, e uma fantasia comum é a de um parceiro perfeito que irá salvá-las. Assim como no caso do Tipo Três, o parceiro ideal vai variar para diferentes Tipos Quatros. Um tema comum entre as pessoas do Tipo Quatro é que seu parceiro será perfeito e, em última análise, as completará. Quando iniciam relacionamentos, as pessoas do Tipo Quatro tendem a idealizar seus novos parceiros dessa maneira.

ATRIBUTOS E ATITUDES

As pessoas do Tipo Quatro na faixa saudável são parceiras profundamente dedicadas e inspiram uma rica criatividade e crescimento no relacionamento. Incentivam os parceiros a buscar e encontrar a si mesmos. Dão espaço para um compartilhamento sincero dos seus parceiros e compreendem os altos e baixos emocionais dos relacionamentos.

As pessoas do Tipo Quatro na faixa média podem ficar frustradas com seus parceiros porque estes não correspondem ao companheiro ideal que imaginaram. Como resultado, as pessoas do Tipo Quatro podem criticar seus parceiros. Também podem ser emocionalmente instáveis e difíceis de definir, deixando seus parceiros confusos e perturbados.

CONSTRUINDO UM RELACIONAMENTO SAUDÁVEL

Por baixo dessa instabilidade emocional que as pessoas do Tipo Quatro às vezes demonstram, elas buscam, em última análise, ser vistas e aceitas pelos seus parceiros. Interagir com uma pessoa do Tipo Quatro que esteja com seu humor alterado por conta da sua própria instabilidade emocional apenas intensificará a reação dela. Em vez disso, faça o possível para permanecer firme, confiante e com os pés no chão durante as discussões. Oferecer uma aceitação tranquila e reconfortante ao seu parceiro o ajudará a ficar mais calmo e ser capaz de ver a si mesmo de uma maneira menos autocrítica.

As atividades físicas ou reconfortantes ajudarão a afastar seu parceiro do Tipo Quatro das fantasias que costuma ter e trazê-lo de volta à realidade, levando-o a apreciar e se envolver mais com o relacionamento que tem com você. Também pode incentivar seu parceiro do Tipo Quatro a expressar as emoções por meio de um projeto criativo escolhido por ele, proporcionando uma válvula de escape solidária para seus sentimentos.

TIPO CINCO: ENCONTRO DE MENTES

As pessoas do Tipo Cinco são atraídas por parceiros que contribuem com profundidade intelectual e objetividade para o relacionamento. Apreciam a troca de ideias, tendendo naturalmente para parceiros com os quais possam compartilhar os mesmos interesses especiais – ou que pelo menos permitem que tenham a oportunidade de se dedicar aos seus próprios interesses.

Em geral, as pessoas do Tipo Cinco buscam relacionamentos nos quais possam ter muito tempo e espaço para si mesmas. Não raro, as pessoas do Tipo Cinco se sentem facilmente oprimidas pelas exigências da vida. O espaço nos relacionamentos as ajuda a se sentir menos sufocadas pelo parceiro. Também podem ter pouco interesse em lidar com os aspectos práticos e sociais da vida e procuram parceiros que sejam capazes de ajudá-las nessas áreas.

ATRIBUTOS E ATITUDES

As pessoas do Tipo Cinco na faixa saudável são infinitamente curiosas, oferecendo todos os tipos de informações interessantes e ideias inovadoras para seus parceiros. Elas são solidárias, compartilham abertamente informações a respeito de si mesmas e podem rir dos absurdos da vida. São pacientes com seus parceiros e adotam uma perspectiva abrangente a respeito do relacionamento.

As pessoas do Tipo Cinco na faixa média podem se mostrar distantes e indisponíveis para seus parceiros, deixando-se distrair demais pela sua mente e interesses pessoais para poder participar da vida emocional ou em família. Seus parceiros podem sentir que precisam satisfazer essas necessidades em outro lugar. As pessoas do Tipo Cinco na faixa média também podem ser pessimistas, introduzindo a controvérsia e uma atitude negativa diante das pessoas com quem têm um relacionamento romântico.

CONSTRUINDO UM RELACIONAMENTO SAUDÁVEL

Quando as pessoas do Tipo Cinco se tornam emocionalmente indisponíveis, em geral isso acontece porque estão se sentindo oprimidas, e não por estar tentando ser intencionalmente prejudiciais. Quando as pessoas do Tipo Cinco se fecham, o segredo é ter paciência e apoiá-las, assim como criar um ambiente que as faça se sentir seguras sobre se abrir no relacionamento. Peça que se abram em particular, em um ambiente íntimo, e não, digamos, em um restaurante barulhento com um grupo de amigos.

Uma maneira de levar as pessoas do Tipo Cinco a se abrir e confiar em você é fazer perguntas a respeito dos interesses intelectuais favoritos delas. A partir daí as conversas podem se tornar mais íntimas e pessoais. As pessoas do Tipo Cinco também são favorecidas por atividades físicas que possibilitem que se estabilizem e se conectem com seu corpo. Participe dessas atividades com seu parceiro ou incentive-o a praticá-las de uma maneira independente. As pessoas do Tipo Cinco que se harmonizam dessa maneira se tornam mais confiantes e abertas nos seus relacionamentos.

TIPO SEIS: NOS BONS E NOS MAUS MOMENTOS

As pessoas do Tipo Seis procuram parceiros que tragam um espírito de orientação e apoio profundo e inabalável para o relacionamento. As pessoas de todos os tipos desejam parceiros que sejam dedicados a elas, mas as do Tipo Seis estão particularmente interessadas em saber que a pessoa com quem estão se relacionando estará com elas nos bons e nos maus momentos. As pessoas do Tipo Seis apreciam parceiros confiáveis, esforçados e estáveis.

As pessoas do Tipo Seis podem ter uma sensação de incerteza e ansiedade a respeito dos seus relacionamentos, mesmo que estejam casadas há décadas. O nervosismo causado pela preocupação de que o parceiro não as esteja apoiando ou não esteja comprometido o bastante com o relacionamento sempre está presente. As pessoas do Tipo Seis procuram parceiros que sejam firmes e decididos, ao mesmo tempo que questionam a dedicação do parceiro a elas.

ATRIBUTOS E ATITUDES

As pessoas do Tipo Seis na faixa saudável apresentam um sentimento de orientação, amor estável e compromisso no relacionamento. Elas são capazes de conduzir o relacionamento e seu parceiro nas direções que mais os favoreçam. São pessoas gregárias e muitas vezes trabalham buscando o que é melhor para o bem comum do relacionamento.

As pessoas do Tipo Seis na faixa média podem ser parceiras instáveis, constantemente preocupadas a respeito dos piores cenários possíveis e do que pode dar errado no relacionamento. O medo e a paranoia podem levá-las a fazer acusações de deslealdade, sem fundamento, aos seus parceiros, levando-os, ironicamente, a desconfiar das pessoas do Tipo Seis.

CONSTRUINDO UM RELACIONAMENTO SAUDÁEL

A ansiedade e a dúvida que as pessoas do Tipo Seis podem sentir com relação ao seu relacionamento surgem da sua instabilidade e de seus pensamentos acelerados – que depois são projetados no parceiro. Se seu parceiro for do Tipo Seis, lembre-se de não levar isso para o lado pessoal. A melhor coisa que você pode fazer é permanecer confiante, firme e inabalável em face da incerteza e das dúvidas dele.

As pessoas do Tipo Seis se tornam mais firmes no relacionamento quando constroem sua própria base, conectam-se com seu corpo e "fazem contato" com a lógica e a racionalidade. Resista ao impulso de discutir, porque se fizer isso tornará seu parceiro ainda mais ansioso. Enfrente o medo dele com calma e racionalidade. Incentive seu parceiro a usar a energia tensa para se tornar fisicamente ativo, bem como para manter o foco e realizar tarefas essenciais.

TIPO SETE: JUNTOS EM UMA AVENTURA

As pessoas do Tipo Sete buscam relacionamentos que proporcionem um espírito de diversão e alegria à sua vida. As pessoas do Tipo Sete podem encarar a vida como uma grande aventura. Como resultado, elas procuram com frequência parceiros românticos dispostos a viver aventuras com elas, transformando coisas rotineiras como ir ao supermercado em algo emocionante. As pessoas do Tipo Sete valorizam pessoas otimistas e positivas que também possam estar ao lado delas nos momentos difíceis.

Devido ao seu desejo de novidade e variedade, as pessoas do Tipo Sete são estereotipadas como tendo dificuldade em se comprometer com relacionamentos monogâmicos. De fato, algumas pessoas do Tipo Sete podem preferir os namoros casuais ou os relacionamentos abertos à monogamia. Outras pessoas do Tipo Sete, no entanto, assumem um forte compromisso com um único parceiro e procuram a novidade dentro do relacionamento ou em outras áreas da vida.

ATRIBUTOS E ATITUDES

As pessoas do Tipo Sete na faixa saudável são parceiras encantadoras que criam oportunidades ilimitadas na vida. Elas podem melhorar a disposição do parceiro e se mostrar empolgadas a respeito de cada aspecto do relacionamento e da vida em comum. Os parceiros das pessoas do Tipo Sete na faixa saudável raramente ficarão entediados no relacionamento.

As pessoas do Tipo Sete na faixa média podem se distrair com muita facilidade, às vezes prometendo mais do que podem cumprir e, por causa disso, negligenciando seus parceiros. Podem ficar frustradas rapidamente e ter dificuldade em prestar atenção a qualquer negatividade de parte dos seus parceiros ou em admitir que têm sentimentos negativos.

CONSTRUINDO UM RELACIONAMENTO SAUDÁVEL

As pessoas do Tipo Sete podem ter dificuldade em ficar satisfeitas com o que está diante delas, o que conduz ao pensamento "a grama está mais verde no vizinho". Quando as pessoas do Tipo Sete dão a impressão de estar entediadas, frustradas ou instáveis nos relacionamentos, isso é resultado desse modo de pensar, e não do fato de o parceiro ter limitado suas opções ou tê-las refreado.

As pessoas do Tipo Sete se tornam parceiros mais felizes e estáveis quando se interiorizam e entram em contato consigo mesmas, particularmente com seus sentimentos e emoções. Não tente impedir o desejo do seu parceiro de fazer muitas coisas ao mesmo tempo. Em vez disso, incentive-o a cultivar uma prática regular de gratidão, ou algo semelhante que aprecie. Se persistirem nisso, as pessoas do Tipo Sete ficarão mais calmas e se estabilizarão, ficando satisfeitas com seus sentimentos e relacionamentos românticos.

TIPO OITO: PODER E INFLUÊNCIA

As pessoas do Tipo Oito procuram parceiros românticos que possam viver plenamente e ser autênticos com elas. Líderes naturais, as pessoas do Tipo Oito gostam de sentir que estão no controle dos relacionamentos. No entanto, elas também apreciam parceiros que valorizam e apoiam suas necessidades emocionais.

As pessoas do Tipo Oito gostam de ajudar aquelas que consideram "mais fracas" do que elas e podem ser atraídas por parceiros que sintam que podem proteger. Desejam relacionamentos românticos nos quais se sintam fortes, confiantes e no controle. Por almejarem poder e influência, também gostam quando seu parceiro acompanha sua vida ativa e dinâmica.

ATRIBUTOS E ATITUDES

As pessoas do Tipo Oito na faixa saudável são parceiros confiantes e inspiradores, estáveis e firmes nos seus relacionamentos e na sua vida. Elas se esforçam ao máximo para oferecer apoio inabalável aos seus parceiros, seja esse apoio financeiro, físico ou de qualquer outro tipo que possa ser necessário. Elas são pessoas bondosas e afáveis debaixo da sua aparência rígida.

As pessoas do Tipo Oito na faixa média podem se tornar agressivas e confrontadoras nos relacionamentos, impondo-se para garantir que as coisas serão do jeito que querem. Sua presunção, seu jeito duro de falar e sua autoconfiança podem ser intimidantes ou até mesmo assustadores para seus parceiros românticos.

CONSTRUINDO UM RELACIONAMENTO SAUDÁVEL

As pessoas do Tipo Oito se tornam intimidantes e confrontadoras nos relacionamentos porque temem em segredo não ser fortes ou duronas o bastante, o que, por sua vez, levará os outros a rejeitá-las. As pessoas do Tipo Oito respeitam aquelas que têm confiança em si mesmas e reagem positivamente a um parceiro capaz de parecer inflexível durante um conflito. A pessoa do Tipo Oito que respeita seu parceiro será mais democrática na maneira como encara o relacionamento.

Também é proveitoso a pessoa ser flexível e carinhosa com seu parceiro do Tipo Oito, pois isso pode derrubar as defesas dele. Tenha delicada e seja amável com o Tipo Oito na sua vida. Você também pode apoiá-lo ajustando regularidade e rotina na vida dele, porque essas duas coisas equilibram a raiva dele e o tornam emocionalmente mais estável.

TIPO NOVE: PAZ E HARMONIA

As pessoas do Tipo Nove buscam parceiros com quem sintam que podem ter relacionamentos tranquilos e harmoniosos. Quase todas as pessoas do Tipo Nove desejam ter uma parceria integrada, estável, na qual possam se sentir calmos, seguros e equilibrados. Gostam de parceiros que tomam a iniciativa nos relacionamentos, possibilitando que elas passem a fazer parte da vida deles. Algumas pessoas do Tipo Nove são fisicamente muito ativas e gostam de parceiros que possam se dedicar a atividades físicas com elas.

Não é raro ver as pessoas do Tipo Nove escolher parceiros a quem se sintam ligadas, compartilhando valores e desejos. Embora as pessoas de todos os tipos do Eneagrama desejem isso, as do Tipo Nove podem ser mais radicais. Elas receiam que qualquer divergência possa causar uma falta de harmonia no relacionamento.

ATRIBUTOS E ATITUDES

As pessoas do Tipo Nove são parceiros calmos, amáveis e solidários. Elas têm uma mentalidade positiva. Sabem como atenuar situações difíceis e manter a paz. Podem estabilizar parceiros que são naturalmente mais reativos ou pessimistas do ponto de vista emocional. Muitas delas apresentam a criatividade e a conexão com a natureza nos seus relacionamentos.

As pessoas do Tipo Nove na faixa média podem se esquivar excessivamente dos conflitos nos relacionamentos românticos. Às vezes, para começar, elas podem nem mesmo querer admitir que existe um conflito. Algumas vezes, as pessoas do Tipo Nove dirão que concordam com o parceiro, enquanto fazem corpo mole ou o agridem verbalmente, fazendo com que o parceiro fique irritado e zangado com elas.

CONSTRUINDO UM RELACIONAMENTO SAUDÁVEL

As pessoas do Tipo Nove podem ser discretas nos relacionamentos, adotando um comportamento passivo-agressivo porque desejam parceiros felizes e relacionamentos harmoniosos. As pessoas do Tipo Nove também podem sentir que são invisíveis e que não são importantes. Nesse caso, elogie e reconheça os esforços do seu parceiro, assegurando a ele que você deseja ouvir o ponto de vista e as opiniões dele sempre que necessário.

Muitas pessoas do Tipo Nove adoram a atividade física. Isso pode ajudá-las a ter mais firmeza e lhes confere a oportunidade de expressar suas próprias necessidades. Incentive seu parceiro a participar de atividades que tenham um movimento lento e intencional, como o caratê, caso contrário ele pode se desligar e ficar alheio em sua atividade. As pessoas do Tipo Nove também acham que o tempo que passam ao ar livre as acalma e estabiliza. Passe momentos na natureza com seu parceiro e apoie os empreendimentos pessoais dele.

RESOLVENDO CONFLITOS NO RELACIONAMENTO

Parte da beleza dos relacionamentos é o fato de que cada um contribui com uma perspectiva diferente. Isso, é claro, também significa que nossas perspectivas às vezes estão em desacordo. Pense na última vez em que surgiu um conflito em um dos seus relacionamentos importantes: uma das pessoas usou a lógica, enquanto a outra se concentrou nas emoções? Talvez um de vocês tenha encorajado o outro a ver o lado mais agradável da situação.

Quando um choque de perspectivas fica fora de controle, isso pode deixar cicatrizes nos nossos relacionamentos. Quando abordados com atenção e empatia, os conflitos se tornam oportunidades para que compreendamos uns aos outros e aprofundemos nossos laços. Os estilos de resolução de conflitos do Eneagrama são ferramentas úteis para manter os conflitos de relacionamento positivos e voltados para soluções. Ao examinar os estilos que se seguem, avalie a quais abordagens você e seus entes queridos dão preferência.

▶ **Os Tipos da Competência** (Um, Três e Cinco) apresentam uma abordagem analítica no conflito. Seu estilo pode ser representado pela frase: "Vamos agir como adultos neste caso e resolver as coisas de uma maneira lógica". A estratégia de solução racional mantém a civilidade e corre o risco de parecer excessivamente fria. As pessoas com outros estilos poderão ficar frustradas com o distanciamento de um ente querido com essa abordagem.

▶ **Os Tipos Reativos** (Quatro, Seis e Oito) procuram expor as verdades emocionais. Esse estilo é útil para trazer à luz a dinâmica implícita dos conflitos, mas arrisca criar um ciclo de reatividade. As pessoas com outros estilos podem ficar irritadas com o foco de Reatividade de um ente querido em detrimento de soluções.

▶ **Os Tipos da Atitude Positiva** (Dois, Sete e Nove) levam em conta o contexto mais amplo do problema, concentrando-se nos aspectos positivos existentes e buscando o melhor resultado possível. Embora esse estilo melhore a disposição de ânimo, ele também pode deixar de avaliar ou negligenciar os aspectos espinhosos do conflito. As pessoas com outros estilos podem ficar irritadas quando um ente querido varre o problema para baixo do tapete.

Quando usado de modo individual, cada estilo de resolução de conflitos é maravilhoso para lidar com um dos aspectos do problema, mas tende a negligenciar outros elementos importantes. A fim de resolver o conflito de maneira eficaz, é melhor usar os três estilos juntos. Se você e a pessoa que você ama tiverem estilos diferentes, em vez de debater suas abordagens divergentes, reconheça que elas contribuem com ferramentas diferentes e valiosas.

Quando as coisas ficarem difíceis entre vocês, façam o esforço consciente de usar o terceiro estilo para lidar com seu ponto cego. Se vocês compartilharem um estilo, procurem introduzir as outras duas perspectivas.

Você pode aproximar as abordagens dos três estilos seguindo um processo de resolução de conflitos de três passos. Primeiro, conecte-se com os pontos fortes do estilo da Reatividade identificando tensões implícitas e designando as raízes do conflito. Em seguida, use o foco na resolução lógica dos problemas do estilo da Competência para fazer o *brainstorming* de possíveis soluções. Por fim, como fazem as pessoas dos Tipos da Atitude Positiva, observe o contexto mais amplo, perguntando a si mesmo, por exemplo, "Isto será importante daqui a cinco anos?". Procure uma maneira de abordar o conflito que produza resultados positivos para todas as partes.

Estilos de comunicação

A comunicação é uma das mais importantes habilidades para iniciar e manter relacionamentos interpessoais. Cada tipo tem seu próprio jeito de se comunicar e tentar satisfazer suas necessidades. Às vezes podem surgir conflitos quando pessoas com diferentes tipos do Eneagrama interpretam mal umas às outras e tiram conclusões precipitadas – partindo do princípio de que uma pessoa de um tipo diferente se comunica de uma maneira semelhante à delas, por exemplo.

Ao aprender como cada estilo se comunica, você se tornará mais compreensivo e capaz de resolver divergências e ruídos na comunicação. Eis um desmembramento do estilo de comunicação de cada tipo.

As pessoas do Tipo Um se comunicam de uma maneira direta e precisa. Sua comunicação pode incluir muitas frases com "deveria", e seu tom de voz pode exibir tensão e frustração. Um desafio para as pessoas do Tipo Um é evitar a tendência de fazer sermões e de ficar irritadas com aqueles que não estão "certos". As pessoas do Tipo Um devem ter por meta falar de uma maneira tranquila e tolerante com os outros. Para se comunicar com as pessoas do Tipo Um, converse sobre o esforço que você está fazendo e fundamente a conversa com valores comuns.

As pessoas do Tipo Dois muitas vezes se comunicam de uma maneira cordial e agradável. Têm a tendência de se concentrar nos outros, com lisonjas e expressões efusivas. Um desafio para as pessoas do Tipo Dois é evitar ser excessivamente invasivas, deixando as outras pessoas pouco à vontade. As pessoas do Tipo Dois devem ter por meta se comunicar com os outros de uma maneira que demonstre compaixão por meio de diretivas atenciosas e do controle emocional. Para se comunicar com as pessoas do Tipo Dois, mostre apreciação e fique atento à sua conexão pessoal.

As pessoas do Tipo Três se comunicam de uma maneira competente, eficiente e harmoniosa. Podem ser camaleônicas e muito adaptáveis à sua audiência. Um desafio para as pessoas do Tipo Três é evitar transformar as conversas em um discurso de autopromoção. Elas devem ter por meta se comunicar em um tom natural e atencioso e que esteja em sintonia com as necessidades emocionais das outras pessoas. Ao se comunicar com as pessoas do Tipo Três, adote uma abordagem direta e voltada para objetivos. A sinceridade diplomática é apreciada.

O ENEAGRAMA NOS RELACIONAMENTOS **169**

As pessoas do Tipo Quatro se comunicam de uma maneira pessoal e sincera. Podem falar a respeito de sentimentos em detalhes, para obter reações emocionais dos outros. Um desafio para as pessoas do Tipo Quatro é evitar falar de maneira dramática, instável e sem fundamento. As pessoas do Tipo Quatro devem ter por meta se comunicar de um modo que seja claro e que use a racionalidade para apoiar os sentimentos. Ao se comunicar com as pessoas do Tipo Quatro, reconheça as emoções delas e seja franco a respeito das suas. Demonstre que você as respeita como indivíduos.

As pessoas do Tipo Cinco se comunicam de uma maneira que tende a ser específica e cerebral, focada em pensamentos e ideias. Um desafio para as pessoas do Tipo Cinco é evitar falar de uma maneira seca e distante. É proveitoso para as pessoas do Tipo Cinco manter o interesse e a atenção nos pensamentos e sentimentos dos outros. As pessoas do Tipo Cinco devem ter por meta se comunicar com os outros com base em sincero interesse e envolvimento com as histórias deles. Para se comunicar com as pessoas do Tipo Cinco, envolva-se intelectualmente com elas e demonstre estar interessado nas ideias delas. Se você for uma pessoa curiosa, poderá aprender muito.

As pessoas do Tipo Seis são cordiais e interessadas. Não raro, elas falam com nervosismo e são discretas. Um desafio para as pessoas do Tipo Seis é evitar demonstrar ansiedade a respeito de qual é sua situação perante os outros testando e desafiando as pessoas nas conversas. As pessoas do Tipo Seis devem ter por meta falar de uma maneira fundamentada que exiba confiança no que estão dizendo. Para se comunicar com as pessoas do Tipo Seis, seja firme nas suas decisões e receptivos com relação a elas. Demonstre que você é leal e confiável.

170   O ENEAGRAMA MODERNO

As pessoas do Tipo Sete costumam se comunicar rápido e com entusiasmo. As pessoas do Tipo Sete são otimistas e muitas vezes desfiam histórias. Um desafio para as pessoas do Tipo Sete é evitar falar de uma maneira que soe exigente, impaciente e focada nas suas necessidades imediatas sem dar atenção à pessoa com quem estão interagindo. Devem ter por meta falar de um jeito calmo, focado e tolerante. Ao se comunicar com as pessoas do Tipo Sete, demonstre o entusiasmo delas e compartilhe o seu, ao mesmo tempo seja pragmático a respeito das necessidades e dos objetivos.

As pessoas do Tipo Oito se comunicam de uma maneira repleta de energia. Tendem a ser francas e diretas; os outros por certo saberão qual a sua situação com elas. Um desafio para as pessoas do Tipo Oito é evitar ser excessivamente insensíveis e briguentas. Devem ter por meta se comunicar de um jeito sincero e compassivo com relação aos sentimentos e às necessidades dos outros. Ao se comunicar com as pessoas do Tipo Oito, seja direto e permaneça no mesmo nível de energia deles. Não tenha medo de se envolver em um bom debate.

As pessoas do Tipo Nove se comunicam com delicadeza e ponderação. Podem ter a tendência de fazer rodeios, contando longas histórias ou sagas antes de entrar no assunto. Um desafio para as pessoas do Tipo Nove é evitar ser passivas demais e concordar com a opinião dos outros nas conversas. As pessoas do Tipo Nove devem ter por meta falar de uma maneira confiante e se expressar diretamente. Para se comunicar com as pessoas do Tipo Nove, seja tolerante e paciente na sua abordagem. Dê espaço a elas para que acessem as opiniões delas e as expressem.

O ENEAGRAMA NOS RELACIONAMENTOS **171**

Relacionamentos e papéis familiares

Lidar com a dinâmica da nossa família pode, às vezes, ser ainda mais complexo do que criar e manter um relacionamento romântico. Geralmente, escolhemos nosso cônjuge ou parceiro, mas não escolhemos nossos pais, irmãos, filhos ou outros membros da família. Às vezes temos uma maravilhosa compatibilidade natural com nossa família de origem. No entanto, em outros casos, nossos entes queridos são muito diferentes das pessoas que escolhemos para ser nossos amigos ou para namorar. A maioria de nós troca de amigos ou relacionamentos em algum momento da vida, mas nossa família permanece conosco a vida inteira. Aprender a lidar com esses relacionamentos é especialmente importante.

Todas as famílias são únicas, mas cada tipo do Eneagrama tende a desempenhar um papel particular na dinâmica familiar. Compreender o papel no qual você se encaixa na sua família pode revelar novas opções e formas alternativas de interagir com seus familiares.

Tipo Um: as pessoas do Tipo Um desempenham o papel do perfeccionista da família, satisfazendo literalmente as expectativas dos pais ou apresentando de modo gradual valores e padrões aos seus filhos.

Tipo Dois: as pessoas do Tipo Dois se encaixam no papel de assistente da família, agradando aos seus pais e cuidando prontamente das necessidades dos seus filhos.

Tipo Três: as pessoas do Tipo Três se encaixam no papel de estrela da família, personificando os valores e sonhos dos pais ou incentivando os filhos para que sejam bem-sucedidos.

Tipo Quatro: as pessoas do Tipo Quatro elucidam os problemas da família, encorajando seus entes queridos a lidar com difíceis sombras familiares.

Tipo Cinco: as pessoas do Tipo Cinco preferem ter alguma distância da dinâmica da família e buscam o papel de especialista da família em áreas de interesse.

Tipo Seis: as pessoas do Tipo Seis se deslocam entre construir a unidade familiar e se rebelar contra essa unidade. Elas são, com frequência, filhos rebeldes e pais protetores.

Tipo Sete: as pessoas do Tipo Sete preenchem o papel de "animadoras de torcida" da família, fazendo com que os membros sorriam, procurando minimizar a dor.

Tipo Oito: as pessoas do Tipo Oito se tornam protetoras da família, exercendo poder como filhas ou pais e assumindo a responsabilidade pelos entes queridos.

Tipo Nove: as pessoas do Tipo Nove atuam como pacificadoras da família, mediando conflitos entre pais ou filhos e recusando-se a tomar partido.

FORTALECENDO OS VÍNCULOS

Pense nos relacionamentos que são importantes para você. Como seu eneatipo afeta a maneira como interage com essas pessoas essenciais? Que contribuições ele leva para seus relacionamentos? Que hábitos você tem que tornam a conexão um desafio para você?

Pense nos tipos do Eneagrama de pessoas que são importantes na sua vida. De que maneira elas veem o mundo diferente de você? O que elas mais desejam obter do relacionamento delas com você? O que pode fazer nesta semana para cada uma dessas pessoas importantes mostrando a elas que você as compreende e aprecia o vínculo que têm? Comprometa-se a praticar uma pequena ação para cada pessoa com quem você se importa.

LIDANDO COM A DINÂMICA FAMILIAR

A fim de ver como o Eneagrama pode ajudar a melhorar a dinâmica familiar, vamos voltar para Julia enquanto ela passa algum tempo com sua família durante as festas de fim de ano.

Julia está animada para as festas porque sua irmã, Mary, que mora em outra cidade, vai passar o feriado com a família. Seu namorado, Miguel, também vai celebrar com a família de Julia, em vez de passar o Natal com os pais dele como em geral faz. Julia e Miguel pegam Mary no aeroporto, e Julia começa imediatamente a planejar todas as atividades divertidas que farão juntos: cozinhar, esquiar, reunir a família para jogar cartas...

Seu entusiasmo é ofuscado quando seus pais e Mary se cumprimentam. Sua mãe, Evelyn, é do Tipo Oito e ordena que Mary vá guardar suas coisas ao mesmo tempo que, bruscamente, lhe diz quais são seus planos para aquele dia. Mary, sempre a rebelde da família, resiste, recusando-se a participar de algumas atividades e sugerindo alternativas para outras. "Eu sou sua mãe," insiste Evelyn. "Você vai fazer o que a família quer, e vamos passar um bom período de festas juntos!" "Não", repete Mary, começando a se arrepender da decisão de ter ido passar o Natal na casa dos pais. "Eu preciso me acomodar primeiro. E não vejo nenhum motivo para que todos nós tenhamos que assistir ao mesmo programa especial de fim de ano pela milionésima vez quando só você gosta dele!" Seu pai, Steve, um Tipo Cinco do Eneagrama, evita a discussão, como de costume. Quando as duas mulheres vão ficando cada vez mais exaltadas, ele se retira para a sala de estar.

O primeiro período de festas de Miguel com a família de Julia se revela desafiante. Fiel ao seu Tipo Dois, ele tenta ser útil servindo de mediador entre Evelyn e Mary. Ambas resistem ao que consideram uma influência externa impositiva. Julia sugere um conjunto diferente de atividades para o período e consegue contar com a participação de toda a família. No entanto, no quinto jogo vigoroso, Steve fica aturdido e vai para a cama cedo. Mary fica desapontada porque seu pai prefere se isolar em vez de passar algum tempo com ela, pois ela mora longe e veio visitá-los. Ele não se importa com ela?

É complicado lidar com a dinâmica familiar porque ela se desenvolve ao longo de anos e implica um profundo envolvimento emocional de todas as partes. Não raro, diferentes membros da família desejam coisas distintas, mas sem conhecer a motivação uns dos outros, todos imaginam que os outros membros estão apenas "sendo detestáveis". Uma intervenção do Eneagrama pode ajudar a esclarecer e destacar a dinâmica implícita.

Julia apresenta os tipos do Eneagrama à sua família conflituosa, e todos riem ao reconhecer a verdade. Evelyn quer estar no comando. Steve deseja espaço e detesta se sentir oprimido. Mary deseja apoio e autonomia. Julia quer que as coisas sejam divertidas, e Miguel deseja formar uma conexão com a família da sua parceira. Como todos podem obter o que querem?

A mente analítica de Steve propõe uma solução. Talvez Evelyn possa sugerir atividades com o entendimento de que os outros escolherão aquelas nas quais desejam participar. Ele assegura a Mary e Julia que adora estar com elas, mas que não deseja praticar atividades que esgotem sua energia todo o tempo em que elas estiverem ali, uma posição que elas entendem. Evelyn sugere que Steve conduza uma atividade que ele prefira, e ele entretém a todos com histórias natalinas. Miguel descobre uma maneira de se conectar ajudando nas tarefas da cozinha, em vez de tentar corrigir relacionamentos. Com um entendimento mais claro uns dos outros, os membros da família de Julia ficam livres para dividir e participar das atividades como desejarem. Em vez de pressionar uns aos outros, eles respeitam os limites individuais, o que conduz a momentos mais divertidos e agradáveis para todos.

A sua família, assim como a de Julia, provavelmente está repleta de personalidades distintas com necessidades muito diferentes. O Eneagrama pode ser útil para que vocês entendam a posição de cada membro e garantam que as necessidades de todos sejam satisfeitas. Olhem além da superfície e busquem um consenso que satisfaça as motivações essenciais das diferentes pessoas. Você talvez descubra que a dinâmica da sua família vai mudar para melhor.

No próximo capítulo, vamos olhar além da família e do trabalho e examinar maneiras pelas quais o Eneagrama pode ajudá-lo a crescer como pessoa.

CRESCIMENTO E MUDANÇA

Nesta jornada do Eneagrama, falamos a respeito de diferentes aspectos do sistema e descobrimos maneiras pelas quais você pode aplicá-los para melhorar sua carreira e seus relacionamentos. Além de usar seu conhecimento do Eneagrama de maneiras práticas, você talvez esteja interessado em aplicá-lo em um nível mais profundo. Você pode usar o Eneagrama de muitas maneiras para perceber e mudar hábitos não saudáveis, desenvolver resiliência e criar uma vida mais equilibrada e feliz para si mesmo. Este capítulo vai investigar alguns pontos de partida para a criação de uma base sólida de um contínuo crescimento pessoal.

O Eneagrama e o crescimento

Algumas pessoas que começam a estudar o Eneagrama acreditam erroneamente que, uma vez que tenham descoberto seu tipo, esgotaram a utilidade do sistema. Embora seja tentador sentir que "terminamos" depois de tomar conhecimento do nosso tipo, o Eneagrama encerra muitas outras coisas. Além disso, se descobrimos qual é nosso tipo de personalidade sem usar esse conhecimento para trabalhar em nós mesmos, não nos desenvolveremos. Ao trabalhar em nós mesmos, somos capazes de nos libertar dos nossos hábitos e padrões arraigados.

O Eneagrama é uma ferramenta singularmente útil para o crescimento e a mudança porque examina de maneira profunda as nossas motivações básicas. Enquanto outras conhecidas tipologias de personalidade fazem um excelente trabalho avaliando e explicando comportamentos humanos e traços individuais, o Eneagrama nos descreve em um nível mais profundo. Explica porque agimos de determinadas maneiras. Ver o que determina nosso comportamento possibilita que examinemos nossas crenças, atitudes e escolhas mais íntimas, oferecendo um nível de percepção que é difícil alcançar sem esse tipo de orientação.

O Eneagrama também confere uma incrível amplitude e profundidade ao desenvolvimento pessoal. Quando usado de maneira correta, como um sistema dinâmico para a mudança em vez de como um meio de estereotipar e julgar, ele descreve toda a extensão dos nossos comportamentos. Junto com as descobertas que fazemos ao tomarmos conhecimento do nosso tipo básico no Eneagrama, adquirimos uma sabedoria a respeito de nós mesmos quando aprendemos sobre nossas conexões com outros tipos por meio das Asas, dos Pontos de Estresse e dos Pontos de Segurança. Quando estudamos os aspectos saudáveis, médios e não saudáveis do nosso tipo, ou os examinamos em detalhes por meio dos Nove Níveis de Desenvolvimento de Riso e Hudson (consulte *Personality Types* e *Understanding the Enneagram* para leituras adicionais), temos um mapa que nos descreve desde os momentos em que estamos na nossa melhor forma até nossos piores dias.

Independentemente dos nossos antecedentes culturais e experiências de vida, a estrutura psicológica básica do nosso eneatipo permanece invariável. Isso torna o Eneagrama uma ferramenta de desenvolvimento que funciona para todas as faixas demográficas e pode facilitar o entendimento entre elas. Você pode ser de qualquer origem étnica, gênero, *status* socioeconômico e religião e ainda assim usufruir dos benefícios do Eneagrama. Você só precisa ter o desejo de crescer.

COMO NÃO USAR O ENEAGRAMA

"Sou um Tipo Sete, de modo que nunca poderei terminar o que eu começar!"

"É claro que você está zangado comigo! Você é um Tipo Oito!"

Ouvimos frases como essas no mundo do Eneagrama, e elas nos dão arrepios. Embora os Tipos do Eneagrama sejam ferramentas incríveis para o entendimento do comportamento humano, não é raro que as pessoas os utilizem como uma maneira de justificar comportamentos em vez de usá-los como ferramentas para a mudança. Se você notar que está usando seu conhecimento dos tipos do Eneagrama para criar estereótipos ou atenuar ações – praticadas por você ou por outras pessoas – reavalie a situação. Ter um certo tipo não significa que seu comportamento é imutável. Pense nas variações saudável, média e não saudável de cada tipo. Elas fazem parte do potencial do tipo. Como você pode olhar além dos hábitos irritantes às vezes encontrados no nível médio dos tipos e enxergar a possibilidade de dinamismo e crescimento?

O Eneagrama é uma excelente ferramenta para facilitar a mudança. Igualmente importante é o fato de que o trabalho de autoconhecimento do Eneagrama nos conduz a um portal para a autoaceitação. Muitas pessoas descrevem ter uma sensação de alívio quando descobrem seu eneatipo. Quase todos nós temos um forte sentimento de reconforto quando por fim descobrimos os motivos de sermos, repetidamente, apanhados nas mesmas armadilhas. Por intermédio do Eneagrama, além de aprender que não somos culpados pelos desafios da nossa personalidade, também obtemos vislumbres das nossas maiores possibilidades e de nossos talentos. Paramos de nos culpar pelas nossas deficiências e enxergamos a beleza no nosso verdadeiro eu. Começamos a amar a nós mesmos exatamente por ser quem somos.

OS BENEFÍCIOS DA AUTOCONSCIÊNCIA

O caminho para a autorrealização nem sempre é livre de obstáculos. Quando trabalhamos em nós mesmos, vemos coisas a respeito de nós que não enxergávamos antes. Embora essas coisas possam ser positivas e reconfortantes, às vezes descobrimos coisas sobre nós das quais não gostamos. Em outras ocasiões, desenterramos mágoas e sofrimentos do passado. A jornada é imprevisível.

Por sorte, as recompensas desse trabalho são imensas. A seguir descrevemos os cinco benefícios que você obterá ao trabalhar em si mesmo e desenvolver a autoconsciência.

1. **Suas estratégias para lidar com as dificuldades serão aprimoradas.** A vida sempre lançará desafios na sua direção. Quando você carece de autoconsciência, pode enfrentar os obstáculos a partir de uma posição de reatividade e terá muito mais dificuldade em lidar com a situação. Com consciência, você poderá lidar com essas dificuldades a partir de uma condição de dignidade e aceitação, o que possibilitará que tenha mais facilidade para permanecer positivo e relaxado, além de fazer escolhas mais autoconscientes.

2. **Você curará a si mesmo.** Quando você não lida com a dor e ela permanece sufocada, a mágoa continua no seu corpo, tornando mais provável que reaja ao presente com base na dor do passado. Enfrentar os desafios torna mais fácil agir

CRESCIMENTO E MUDANÇA

conscientemente e o liberta dos fardos que carrega. As pessoas tendem a se sentir muito melhor cada vez que um problema é resolvido.

3. **Seu senso de equilíbrio interno aumentará.** Às vezes, você poderá ter a impressão de que se encontra em uma corda bamba emocional. Cada emoção e reação têm o potencial de atingi-lo como uma forte rajada de vento, fazendo com que você tenha dificuldade para se agarrar ao delicado equilíbrio que você criou. A autoconsciência lhe confere força, e a aceitação o torna ainda mais forte. Você consegue manter o equilíbrio e resistir às tempestades interiores.

4. **Seus relacionamentos se tornarão melhores.** Você pode fazer com que os outros tenham facilidade em apreciar sua companhia ao se relacionar com eles com base em um posicionamento consciente. Quando reage aos outros de uma maneira inconsciente, você gera mais conflitos, e uma mágoa mais intensa pode surgir no relacionamento. Por meio da autoconsciência, você desenvolve compaixão pela dor dos outros. É mais fácil se conectar com as outras pessoas com gentileza.

5. **Você desenvolverá presença e atenção plena (*mindfulness*).** Estar presente possibilita que as pessoas vivam no aqui e no agora. Quando nos concentramos apenas no momento presente, não precisamos sentir dor por causa das feridas do passado ou do medo do futuro. Encontramos aceitação e alegria em tudo. Nós apenas existimos. Na presença, vemos os outros e a nós mesmos de uma maneira plena e compassiva.

Vivendo com responsabilidade

Somos todos trabalhos em andamento. Algumas áreas da vida são fáceis para nós, ao passo que outras esferas apresentam obstáculos. Temos consciência de muitos dos nossos traços e hábitos, mas há outros que temos dificuldade de enxergar. O Eneagrama nos empodera para que entremos mais em contato com nossas emoções, nossos desejos e necessidades. Se sua intenção é usar o Eneagrama para criar uma mudança positiva na sua vida, um dos segredos para fazer isso é se conhecer e se tornar responsável consigo mesmo.

À medida que for aprendendo coisas sobre seu tipo, preste atenção aos desejos e motivações que vem desconsiderando. Por exemplo, você gosta de interagir com pessoas e está trabalhando em uma área com pouca interação interpessoal? Você deseja mais poder ou visibilidade, mas se retrai e não vai atrás dessas coisas de uma maneira satisfatória? Devido a várias formas de condicionamento cultural, menosprezamos partes importantes de nós mesmos por considerá-las "inapropriadas", "indesejáveis", "excessivas" em um determinado aspecto, ou "insuficientes" em outro. Quando fazemos isso, negamos os talentos que poderíamos trazer para o mundo. Só poderemos ter equilíbrio na nossa vida se, para início de conversa, aceitarmos as pessoas que somos e fizermos escolhas que se encaixem nas necessidades da nossa personalidade. Escute sua intuição e procure maneiras saudáveis de deixar que ela o guie.

CRESCIMENTO E MUDANÇA

Assim como negamos alguns dos nossos talentos, também tendemos a deixar passar nossos hábitos inúteis. Dê uma olhada sincera nas descrições dos aspectos médio e não saudável do seu tipo. Que tendências você vê em si mesmo? Passe um dia observando seus padrões do Eneagrama. Verifique se está expressando os hábitos do seu tipo de uma maneira prejudicial. Riso e Hudson chamam isso de "pegar a si mesmo em flagrante". Pratique esse tipo de conscientização todos os dias. Com o tempo, sua capacidade de observar a si mesmo aumentará. Você desenvolverá uma habilidade que Helen Palmer chama de "observador interior" – aquele lugar tranquilo dentro de você, separado das suas reações, que observa sua mente sem participar da tagarelice dela. Quando você pensa e age, o observador interior assimila tudo. Traz com ele um distanciamento crítico e a habilidade de fazer uma pausa, repensar e mudar sua maneira habitual de fazer as coisas. Quanto mais exercitar o observador interior, mais controle você terá sobre seus hábitos e mais escolhas conscientes fará.

Viver em harmonia com as motivações do seu tipo e desenvolver um observador interior são maneiras de ser responsável consigo mesmo. No entanto, é desafiante fazer essas coisas sozinho. O caminho em direção ao crescimento pessoal fica muito mais fácil quando conta com alguns companheiros de viagem. É proveitoso ter um parceiro, membro da família ou amigo (ou mais de um) que possa acompanhá-lo no trabalho do Eneagrama. Juntos, podem conversar francamente a respeito dos tipos, telefonar uns para os outros quando necessário e apoiar os esforços uns dos outros de viver com responsabilidade. O incentivo é ainda maior se encontrar uma comunidade empenhada no crescimento pessoal. Algumas pessoas encontram isso em grupos religiosos ou espirituais, ou ainda em grupos focados em uma prática específica. Esses grupos oferecem apoio, comunhão, perspectivas alternativas e um lugar para focar em si mesmo. Procure um grupo que se reúna regularmente, no qual possa se abrir e cujos princípios considere solidários. Buscar uma combinação de contatos pessoais e o contexto de um grupo mais amplo voltado para o crescimento propicia orientação e apoio enquanto se conecta consigo mesmo e progride.

RECONHECENDO E MODIFICANDO OS MAUS HÁBITOS

Vamos voltar ao observador interior por um instante. Desenvolvê-lo é uma coisa complicada, porque estamos acostumados a expressar automaticamente nossos hábitos em vez de observá-los. Todos nós vivemos o cotidiano como criaturas de hábitos: o café da manhã que tomamos, a nossa agenda de trabalho e a hora em que preferimos ir para a cama. Nossos hábitos são externos, o que fazemos no dia a dia, e internos, regidos pela nossa personalidade. Nosso ego determina nosso solilóquio interno habitual, acionado pelo nosso tipo de personalidade e pelas experiências de vida pessoais. Esse solilóquio é em grande medida inconsciente, e quando reagimos a ele em vez cultivar a percepção do mundo imediato à nossa volta fica mais difícil fazer as escolhas certas para dar suporte à nossa própria vida.

Quando começar a prestar atenção a esses hábitos cotidianos, às coisas que faz quando não está fazendo escolhas ponderadas, você ouvirá o solilóquio no fundo da mente. Assim como seus hábitos, esse diálogo provavelmente vem seguindo você a vida inteira sem que preste muita atenção a ele. Soa como "a maneira como as coisas são". Escute-o sem fazer julgamentos, com delicadeza e curiosidade. Embora seu diálogo pessoal

CRESCIMENTO E MUDANÇA **187**

seja único, eis alguns temas comuns que aparecem na conversa inconsciente de cada tipo:

Tipo Um: as pessoas do Tipo Um têm críticos internos poderosos, e sua voz interior pode soar particularmente parental. Há um forte senso de responsabilidade e de coisas que "precisam" fazer para ser uma boa pessoa. As pessoas do Tipo Um são compelidas a agir no mundo em grande medida com base nesse pesado diálogo interno de crítica.

Tipo Dois: a voz interior do Tipo Dois muitas vezes fala a respeito das outras pessoas com quem o Tipo Dois tem um relacionamento. As pessoas do Tipo Dois se concentram no "outro" – no que ele precisa e em como a pessoa do Tipo Dois pode oferecer apoio. Isso incentiva as pessoas do Tipo Dois a servir, na esperança de que o verdadeiro amor surgirá dos seus esforços.

Tipo Três: as pessoas do Tipo Três estão, de modo inconsciente, sempre procurando maneiras pelas quais possam se destacar e ser as melhores, não importa o que estejam fazendo. Escutam a voz da sua família: especificamente o que perceberam que sua família queria que fizessem para ser bem-sucedidas. Isso as leva a se empenhar em ter sucesso de maneiras que acreditam que as tornará importantes.

Tipo Quatro: depois de tomarem iniciativas ou terem diálogos internos, as pessoas do Tipo Quatro examinarão de modo instantâneo como estão se saindo emocionalmente. Os sentimentos atuais são absorvidos na autoimagem da pessoa do Tipo Quatro. Elas reagirão com base na sua autopercepção mais atual, o que muitas vezes envolve comparações negativas ou uma idealização.

Tipo Cinco: o diálogo interior de uma pessoa do Tipo Cinco estará sempre procurando maneiras pelas quais ela possa aprender ou saber mais a respeito de um assunto ou situação, geralmente em grande profundidade. Ao continuar a cavar cada vez mais fundo em busca de conhecimento, as pessoas do Tipo Cinco esperam por fim sentir que sabem o bastante para começar a agir com confiança no mundo.

Tipo Seis: Russ Hudson descreve a voz interior do Tipo Seis como um pêndulo que oscila ansiosamente de lugar para lugar, procurando uma verdadeira fonte de segurança e orientação. O diálogo interior gerador de ansiedade leva as pessoas do Tipo Seis a buscar fora de si mesmas um local seguro, estável e reconfortante.

Tipo Sete: o solilóquio do Tipo Sete é, com frequência, extremamente positivo, buscando a próxima fonte de estímulo divertida e estimulante. Os pensamentos das pessoas do Tipo Sete em geral se deslocam rapidamente, em busca de satisfação e realização em uma grande variedade de fontes. Reagem saindo no mundo e procurando novas maneiras de encontrar a felicidade.

Tipo Oito: o diálogo habitual das pessoas do Tipo Oito aumenta constantemente – elas procuram soar mais destemidas, fortes e confiantes com cada pensamento. Ao criar um diálogo repleto de confiança, as pessoas do Tipo Oito estão tentando afogar as vozes da sensibilidade e da dúvida, bem como o medo de não serem fortes o bastante.

Tipo Nove: as pessoas do Tipo Nove falam consigo mesmas de uma maneira relativamente positiva ("Eu estou bem, você está bem"), mas também podem se sentir resignadas em segredo com o modo como as coisas são. Imaginarão o que é agradável na sua vida atual. Esse tipo de conversa as mantém em uma bolha de conforto, impedindo-as de correr riscos aterradores.

O primeiro passo para mudar seus hábitos interiores é apenas tomar consciência do que eles são. Por meio da percepção consciente, você pode fazer um esforço para introduzir um solilóquio diferente que modifique lentamente suas convicções. Esse tipo de mudança leva tempo: afinal de contas, você vem seguindo os padrões do seu tipo há anos, e as pesquisas mostram que, muitas vezes, são necessários alguns meses para mudar qualquer hábito. A dedicação a uma prática diária, que ajudaremos você a desenvolver mais adiante neste capítulo, será a ferramenta mais poderosa do seu arsenal para mudar maus hábitos.

IDENTIFICANDO E USANDO SEUS PONTOS FORTES

O outro lado de viver com responsabilidade envolve sermos fiéis ao nosso melhor. Sem dúvida, o Eneagrama nos ensina a identificar e trabalhar no que é difícil para nós, mas também é importante permanecer positivos. Ao viver a vida simplesmente tentando sobreviver, não raro nos acomodamos a rotinas que nem sempre são proveitosas para nós. A carreira, os relacionamentos e o estilo de vida que escolhemos nem sempre estão em conformidade com nossos pontos fortes e nem sempre permitem que aproveitemos nossos talentos. Com muita frequência, fazemos nossas escolhas em torno do que nos proporciona uma satisfação imediata, fazendo o que outra pessoa acha que seria bom para nós ou simplesmente porque sempre fizemos as coisas dessa maneira e não nos ocorreu fazer uma mudança. O aprendizado do Eneagrama é muitas vezes uma experiência feliz. Descobrir nosso tipo nos oferece um roteiro para nossas qualidades e nossos talentos essenciais – qualidades que podemos ter visto na nossa vida, mas não fomos capazes de identificar por completo. Essas qualidades são amplas. Por exemplo, há muitas maneiras pelas quais podemos personificar a energia essencial. Temos infinitas possibilidades de criar uma vida na qual podemos personificar essas fortes habilidades básicas. Podemos cultivar os talentos mais elevados do nosso eneatipo em quaisquer circunstâncias.

Mesmo assim, é trabalhoso criar uma vida que pareça profundamente ajustada ao seu eu interior, sobretudo se você, como muitos de nós, nem sempre fez as escolhas que favorecem seu caminho pessoal e está pensando em fazer mudanças significativas na vida para corrigir isso. Nos capítulos anteriores deste livro, discutimos as qualidades saudáveis, de alto nível de cada tipo, bem como os pontos fortes do seu tipo em profissões e relacionamentos íntimos – pontos fortes que podem ser individualizados para sua situação. Para descobrir seu caminho ideal na vida, é adequado fazer um exame profundo.

Para começar, observe sua vida como ela é agora. Por exemplo:

- ► Qual é sua situação na vida?
- ► Quais são seus relacionamentos mais importantes?
- ► Qual é seu plano de carreira?

- Quais são seus *hobbies* e interesses fora do trabalho?
- Você está satisfeito com sua vida como ela é atualmente?

É comum ter aspectos na vida que de fato apreciamos e outros que desejamos mudar. Por exemplo, você pode adorar sua profissão, mas tem dificuldade em ter um bom relacionamento com seu chefe ou pode não gostar da cidade onde trabalha. Ou talvez seja uma pessoa com energia elevada em um emprego ou uma família de baixa energia, mas compensa isso fazendo trabalho voluntário durante horas em uma organização mais dinâmica. Crie duas colunas em um diário ou em um documento no computador com os seguintes títulos: O que sinto que está em harmonia comigo na minha vida? O que parece fora de rumo?

Para criar uma vida harmoniosa, junto com a avaliação dos talentos do seu eneatipo, pense a respeito do *feedback* que você recebeu dos seus entes queridos e no seu local de trabalho. Temas costumam aparecer. Talvez vários chefes tenham elogiado a maneira excelente como você lida com a documentação, ou os membros da sua família tenham notado como você conforta as crianças pequenas. Avalie também quais eram seus sonhos na infância e quais atividades realmente aprecia. Talvez goste muito de ir ao teatro ou conduzir reuniões. Tudo isso fornece dicas para que você descubra e siga seus pontos fortes.

Enquanto estiver envolvido com a identificação dos seus pontos fortes e a busca por uma vida que os utilize, mantenha em mente o seguinte:

Usar seus talentos consiste em empoderar a si mesmo. As melhores metas são aquelas que estão completamente sob seu controle. Querer que nossos entes queridos ou colaboradores mudem causará frustrações. Eles precisam viver a vida deles e fazer suas próprias escolhas.

Seu caminho na vida pode ser diferente daquele aconselhado pelos seus pais e amigos. Um profundo exame pessoal é a melhor maneira de obter as respostas, e nosso conhecimento interior claro e presente é nosso melhor guia.

Uma vida harmoniosa será gratificante em muitos níveis, mas nem sempre criará uma felicidade instantânea. Todos nós nos deparamos com altos e baixos, bem como com encruzilhadas, que não esperamos. Como diz o velho ditado: "A vida é o que acontece quando estamos ocupados fazendo outros planos".

A boa notícia é a seguinte: ainda podemos expressar nosso eu superior e nossas melhores qualidades e trilhar nosso caminho mais elevado, em um mundo imprevisível.

Desenvolvendo uma prática diária de crescimento

Além de observar seus hábitos e seu solilóquio, e alinhar sua vida com seus pontos fortes, outro segredo para criar uma base de crescimento pessoal é desenvolver uma prática diária. A fim de crescer e mudar, você pode se beneficiar da estabilidade que a prática diária proporciona. Assim como quando faz musculação na academia, a prática diária fortalece o observador interior e pode ser facilmente integrada à sua rotina.

Aqueles que estão começando poderão achar intimidante a ideia de adicionar uma prática cotidiana à uma vida que já é tão atarefada. A boa notícia é que isso não precisa ser assustador. Especialmente no início, a prática diária pode ser breve. Até mesmo alguns minutos de manhã, todos os dias, o ajudarão a desenvolver autoconsciência e presença! A prática pessoal deve ser algo que você sinta prazer em fazer, para que fique mais propenso a persistir.

Eis algumas sugestões para a prática diária:

Mantenha um diário. Muitos livros sobre o Eneagrama contêm perguntas específicas para o seu tipo. Você pode escrever sobre elas no seu diário. Incluímos algumas perguntas no Apêndice (p. 211) como um ponto de partida. Você também poderá encontrar perguntas estimulantes em livros sobre o Eneagrama de cunho espiritual e em outros livros sobre espiritualidade. Se preferir uma abordagem menos estruturada, escrever a respeito do que quer que esteja na sua mente o ajudará a obter mais clareza sobre si mesmo e a eliminar os pensamentos e emoções negativos.

Medite. Os meditadores experientes podem meditar durante longos períodos, mas você pode obter benefícios se praticar apenas dez minutos por dia. Procure uma posição que seja confortável para você e não se preocupe se tiver que lidar com a "mente do macaco" – uma mente inquieta, agitada e distraída que fica saltando entre pensamentos e temas – enquanto você medita. Os pensamentos e sentimentos que surgem nesse período lhe ensinarão muitas coisas a respeito de si mesmo. Lembre-se apenas de respirar tranquilamente enquanto medita!

Crie trabalhos artísticos. Se você é uma pessoa altamente visual, talvez lhe agrade desenhar ou pintar todos os dias e ver qual o simbolismo que surge no seu trabalho – e como você se sente enquanto cria. Se você for músico, tente tocar ou cantar uma nota ou escala simples de modo consciente. A dança expressiva é outra maravilhosa prática criativa, particularmente para um artista com uma orientação cinestésica.

Mexa o corpo. O movimento físico é outra prática excelente, especialmente se você tem a tendência de se sentir sem base e fora de sintonia com seu corpo. O andar consciente, o alongamento, o yoga e outros tipos de movimento concedem um grande espaço para que seu verdadeiro eu possa emergir.

É muito importante que encontre uma atividade que funcione para você! Sua intenção deve ser encontrar uma prática que considere envolvente e divertida. Não tenha medo de experimentar diferentes atividades até encontrar uma com a qual se identifique.

EQUILIBRANDO OS CENTROS NA SUA PRÁTICA

Existem muitas formas de práticas. Algumas desenvolvem nossos pontos fortes naturais, enquanto outras revelam habilidades que geralmente negligenciamos. Se você espera trazer equilíbrio à sua vida, procure escolher uma prática diária que se conecte com suas habilidades pouco desenvolvidas, usando os Centros como um atalho.

Você se lembra dos três Centros do Eneagrama que discutimos no Capítulo 1? O Centro do Instinto (dominante nos Tipos Um, Oito e Nove) proporciona inteligência somática, estabilidade e ação. O Centro do Sentimento (dominante nos Tipos Dois, Três e Quatro) oferece um senso de identidade, conexão e

MEDITAÇÃO GUIADA DOS TRÊS CENTROS

Se desejar, você pode usar uma meditação guiada como esta para entrar em contato com a energia e a inteligência dos três Centros:

Inspire profundamente e depois solte o ar, sentindo os pés no chão. Sinta a solidez e a força do seu corpo. Observe quaisquer áreas de desconforto e respire com o foco nelas. Observe o limite onde seu corpo termina e o mundo começa.

Entre no espaço do seu coração, puxando os ombros para trás enquanto respira profundamente e abre o peito. Respire e sinta quaisquer emoções que estejam presentes. Deixe que se movam através de você. Respire nessa conexão consigo mesmo.

Inspire e expire profundamente mais uma vez e observe o que está acontecendo na sua mente. Deixe que os pensamentos venham e vão embora e repare que uma parte de você os está retendo e observando. Note a amplitude e a clareza que estão presentes para apoiá-lo quando sua mente está em repouso.

Inspire profundamente. Sinta seu corpo estabilizado, seu coração aberto e sua mente espaçosa trabalhando em uníssono. Respire profundamente mais uma vez e volte sua atenção para onde você está.

inteligência emocional. O Centro do Raciocínio (dominante nos Tipos Cinco, Seis e Sete) abrange a clareza, o pensamento crítico e a orientação. Possuímos a inteligência dos três Centros, mas tendemos a nos sentir mais à vontade e proficientes na "base de operações" do nosso tipo.

Assim como temos um Centro dominante, também temos aquele que acessamos com menos frequência. (Consulte o livro *Understanding the Enneagram*, relacionado na seção Recursos na p. 216, para uma leitura adicional. Ele é a fonte da teoria dos Centros que usamos ao longo deste livro.) Ao contrário do nosso Centro dominante, nosso Centro menos utilizado está relativamente livre das exigências da nossa personalidade. Não pensamos muito nele e, não raro, nos sentimos pouco à vontade quando cogitamos interagir com ele. Como as habilidades dele são tão diferentes da nossa imagem de nós mesmos, eles contêm um enorme potencial para a liberdade e o equilíbrio. Isso torna nosso Centro menos utilizado um guia maravilhoso para criar práticas de crescimento. À medida que trabalhamos com esse Centro, desenvolvemos novas habilidades e fazemos uma "pausa" agradável com relação ao nosso jeito típico de fazer as coisas. Nós nos sentimos mais relaxados, centrados e completos. Eis algumas ideias para trabalhar seu Centro menos acessado e equilibrar sua vida. Tenha-as em mente ao escolher uma prática diária.

O CENTRO DO INSTINTO É MENOS UTILIZADO PELOS TIPOS QUATRO, CINCO E NOVE

Esses tipos tendem a se concentrar acima de tudo nos seus pensamentos e sentimentos. Podem se levantar e andar de um lado para o outro, mas tendem a resistir a sentir o peso e a estrutura do seu corpo. Eis algumas ideias de práticas que podem ajudar esses tipos a se estabilizar:

- ▶ Manter uma rotina de exercícios.
- ▶ Participar de práticas com base no movimento, como tai chi, yoga ou meditação andando.

CRESCIMENTO E MUDANÇA **197**

- Sentir conscientemente o peso das pernas e dos pés enquanto lida com suas atividades diárias.

- Respiração profunda e meditação baseada na respiração.

- Tomar medidas com relação a alguma coisa que você vem adiando.

O CENTRO DO SENTIMENTO É MENOS UTILIZADO PELOS TIPOS TRÊS, SETE E OITO

Esses tipos estão com frequência ocupados e se concentram no seu corpo físico e nos pensamentos. Muitas vezes resistem a sentir seus sentimentos e necessidades emocionais e preferem correr de um lado para outro para resolver as coisas. Eis algumas práticas que podem ajudar esses tipos a se conectar com seus sentimentos e seu verdadeiro eu.

- Reservar um período tranquilo todos os dias para entrar em contato consigo mesmo.

- Escrever em diário.

- Tomar parte em práticas com base na compaixão, como a Meditação da Bondade Amorosa – um tipo de meditação na qual você deseja boas coisas para outras pessoas.

- Expressar gratidão para os outros ou manter um diário de gratidão.

- Compartilhar seus sentimentos com alguém em quem você confie.

O CENTRO DO RACIOCÍNIO É MENOS UTILIZADO PELOS TIPOS UM, DOIS E SEIS

Esses tipos têm um forte senso de dever e usam seus sentimentos e o corpo físico para cumprir suas responsabilidades. Esses tipos podem ser altamente inteligentes, mas se concentram em padrões e regras à custa de se orientar pelas suas ideias. As práticas que se seguem podem ajudar esses tipos a recuar dos seus compromissos e desobstruir a mente.

- ▶ Meditar.
- ▶ Ler e pesquisar assuntos de interesse.
- ▶ Seguir a curiosidade em vez de uma agenda.
- ▶ Debater e discutir ideias.
- ▶ Executar atentamente os afazeres diários ou ações.

O CAMINHO DO CRESCIMENTO DE JULIA

Julia, nossa animada mulher do Tipo Sete, está desfrutando a calma proporcionada pela sua prática de meditação diária. Descobriu que reservar um período tranquilo para si mesma todos os dias desacelera seu ritmo de vida e restabelece sua conexão com um Centro do Sentimento amoroso e muitas vezes negligenciado. À medida que o tempo vai passando, ela nota que está sentindo menos pressão para concluir rapidamente seus projetos e encontrar coisas estimulantes para fazer. Quanto mais ela se conscientiza do seu frenético solilóquio, mais diz a si mesma que não precisa procurar fontes de felicidade. Vivencia mais alegria no aqui e agora, até mesmo em atividades simples como fazendo uma limpeza ou caminhando até o supermercado. No trabalho, ela demonstra responsabilidade para consigo mesma ao se envolver com projetos como o Comitê de Liderança Feminina que satisfazem seu desejo de variedade. O Eneagrama lhe ensinou que ela valoriza a liberdade e possibilidades e que não há nada errado em alimentar esses valores. Eles podem ser respeitados de maneiras que lhe trazem felicidade em vez de ser satisfeitos por meio de maus hábitos, como comprar coisas às quais ela realmente não dá valor ou gastar tempo nas redes sociais durante as horas de trabalho. Seu namorado, Miguel, e sua amiga Lakesha formam um bom sistema de apoio, e ela conversa francamente com os dois a respeito do que está fazendo para trazer equilíbrio e felicidade para sua vida, dos desafios que está encontrando nesse processo e do progresso que está alcançando. Ela também participa com alguns amigos de um grupo semanal de meditação.

Seu caminho de crescimento pessoal talvez tenha alguns pontos em comum com o de Julia, ou pode ser muito diferente. Mesmo que muitos de nós estejamos procurando as mesmas coisas na vida, como felicidade, sucesso e equilíbrio, os caminhos que nos conduzirão a esses resultados variam em grande medida, e as necessidades que precisamos satisfazer para alcançá-los são igualmente diversas. O importante é que seja fiel a si mesmo e encontre apoio para seus valores e metas.

Atravessando tempos difíceis

Quando começamos a trabalhar com o Eneagrama ou a seguir outro caminho de crescimento pessoal ou espiritual, é tentador acreditar que os tempos difíceis já foram embora para sempre. Na realidade, todos nós temos tempos bons e tempos difíceis na vida, independentemente de quanto trabalho interior possamos fazer. Certas experiências da vida, positivas ou negativas, são grandes niveladoras.

O trabalho dedicado com o Eneagrama nos confere a habilidade de lidar com os desafios que a vida nos apresenta. Todos sabemos quanto é difícil permanecermos centrados e presentes quando estamos vivendo uma tragédia. Quando deparamos com dificuldades é muito fácil ter uma recaída ou acabar fazendo uma série de más escolhas com um efeito bola de neve. A boa notícia é que todos temos o potencial para tomar decisões fundamentadas, compassivas e perspicazes nos momentos de pressão.

Eis o que Russ Hudson, especialista em Eneagrama, gosta de dizer: "Exercite suas práticas nos tempos tranquilos para poder recorrer a elas nos momentos difíceis". Quando submetidas a um estresse excessivo, as pessoas tendem a retroceder a antigos padrões, e é muito difícil começar de repente a executar práticas centralizadoras quando não se tem um histórico de tentativas anteriores. Quando sua vida está, de um modo geral, indo bem (como no caso da nossa amiga Julia – ir bem não precisa significar que tudo está perfeito!), você tem as estratégias necessárias para desenvolver mecanismos internos de enfrentamento e encontrar apoio externo – um apoio que o ajudará a lidar com a vida quando as coisas não estiverem tão boas.

Se você estiver lendo este livro durante uma época difícil, eis algumas sugestões para lidar com a situação.

Atenha-se a uma rotina: independentemente do nosso eneatipo, nosso nível de estresse aumenta à medida que mais mudanças são lançadas na nossa direção. Mesmo que seja uma coisa simples como continuar a tomar café às 8h30 antes de ir para o trabalho, execute rituais regulares recompensadores. Se criou uma prática baseada no Eneagrama, ou alguma outra coisa que apoie sua vida interior, continue a fazê-la mesmo que seja difícil. Você nem sempre poderá se sentir bem ao fazer isso, mas esse intervalo de tempo possibilitará que entre em contato consigo mesmo, fique mais assentado e mais consciente do que você de fato precisa. Essa também é uma ocasião segura para processar as emoções difíceis que surgem nos tempos difíceis.

Reúna sua tropa: John Donne declarou, de maneira memorável: "Nenhum homem é uma ilha". Em outras palavras, nenhuma pessoa, independentemente de gênero ou privilégios, pode atravessar sozinha tempos difíceis, e todos precisam de uma equipe de pessoas solidárias. Membros da família, amigos e parceiros estarão ao seu lado para amá-lo e encorajá-lo através da escuridão e fornecerão sugestões e perspectiva. Se estiver envolvido com qualquer comunidade de apoio, seja ela voltada para o crescimento pessoal, a espiritualidade ou qualquer outra coisa, permaneça envolvido com o grupo da maneira que puder e não tenha medo de pedir a ajuda que precisa. Você poderá retribuir quando a situação da sua vida melhorar.

Aprecie a impermanência da vida: é humano desejar que os bons momentos da vida permaneçam e torcer para que os difíceis passem rápido ou não aconteçam. No entanto, mesmo quando estamos no caminho certo, nossa vida terá, inevitavelmente, seus altos e baixos. A verdadeira presença provém de simplesmente estar com o que quer que a vida lance na nossa direção e ter a coragem de estar vivo com o que quer que esteja se desenrolando. Aprecie os bons momentos, mas reconheça que nada na vida é permanente. Durante os tempos difíceis, conforte a si mesmo por saber que isso também passará.

ENFRENTANDO A ADVERSIDADE COM RESILIÊNCIA

A maneira como o Eneagrama reconhece nossos padrões e nos aponta para mudanças comportamentais pode nos ajudar a cuidar de nós mesmos quando as coisas ficam difíceis. Vamos dar uma olhada na história de Miguel, o namorado de Julia, que se apoiou no Eneagrama durante uma crise de saúde na família.

Miguel sempre foi próximo da sua mãe, Esperanza. Moram perto um do outro e se visitam regularmente. Quando sua mãe, que em geral é saudável e animada, é diagnosticada com câncer de mama, ele fica chocado e transtornado. Os instintos de ajudar do seu Tipo Dois começam a trabalhar em marcha acelerada. Ele quer abandonar suas outras responsabilidades e passar o tempo cuidando da mãe e dando apoio a ela.

CRESCIMENTO E MUDANÇA **203**

No passado, quando membros da família ou outros entes queridos estavam em crise, Miguel assumia a principal responsabilidade de cuidar deles. Oferecia dinheiro, tirava licenças no trabalho sempre que possível e quando não era possível, passava a maioria das suas noites e de seus fins de semana cuidando da pessoa doente. Ficava com privação de sono, sem dinheiro e exausto. Graças ao seu trabalho com o Eneagrama, Miguel agora compreende que seus cuidados tendem a passar dos limites quando sente que alguém que ama está sofrendo. Embora atribua um imenso valor a cuidar da sua mãe durante a doença dela, ele percebe que suas responsabilidades são mais amplas. Tem uma equipe no trabalho que depende dele, mesmo que a saúde dos seus membros não esteja correndo nenhum risco. Tem um relacionamento com Julia que exige tempo e cuidado, mas que também oferece apoio. Além disso, o mais importante é que precisa cuidar de si mesmo para poder cuidar da sua mãe.

Miguel, então, entra em contato com seu pai e com membros da família que moram na cidade e propõe que organizem uma escala. Isso cria uma rede de pessoas em que cada uma assume a responsabilidade por determinados aspectos dos cuidados e garante que a responsabilidade não caia exclusivamente nos ombros de Miguel. Ele assume a incumbência de acompanhar a mãe a consultas médicas importantes, enquanto seu pai toma medidas para que ela receba tratamento em casa. Miguel e seus irmãos se alternam na execução das tarefas domésticas, com Julia e os parceiros dos seus irmãos também cooperando.

Manter seus hábitos regulares ajuda Miguel a gerenciar sua energia e suas emoções enquanto ajuda a mãe. No passado, ele achava difícil ser produtivo no trabalho enquanto cuidava de um ente querido, mas seu trabalho agora encerra mais responsabilidade, e o bem-estar da sua equipe muitas vezes se baseia nas suas decisões. Ele se atém à sua rotina regular de sono e exercícios em vez de ficar acordado cuidando da mãe ou se preocupando com ela. Antes do diagnóstico da doença da mãe, ele tinha começado a meditar com Julia, e ela agora o incentiva a continuar. Ficar sentado e quieto em uma almofada coloca Miguel em um estreito contato com pensamentos e sentimentos dolorosos que preferiria evitar. Não há como fugir deles. Em vez de ter uma atitude forte e impassível, ele muitas vezes se põe a chorar. Julia se senta com ele e escuta. Antes do Eneagrama, ela tentaria animá-lo; agora, ela oferece apoio estando presente para Miguel enquanto ele expressa e processa seus sentimentos, em vez colocá-los de lado para agir.

Graças aos seus conhecimentos de cuidados básicos, os pontos fortes de empatia e atenção do Tipo Dois de Miguel se evidenciam no apoio que ele dá à mãe no tratamento. Sempre que estão juntos, ele pergunta a ela como está indo, escuta os sentimentos dela e demonstra seu amor de todas as maneiras possíveis. Em vez de tratá-la como desamparada, como é tentado a fazer, se certifica de que ela tenha todos os recursos disponíveis no seu tratamento. Têm longas conversas a respeito dos aspectos da vida que são importantes para cada um deles. Independentemente do que aconteça à saúde da sua mãe, Miguel compreende que pode oferecer a ela uma presença genuína e amorosa.

CRESCIMENTO E MUDANÇA **205**

Em direção à mudança

Como você pode ver, o Eneagrama não apenas é uma ferramenta poderosa a ser aplicada aos nossos relacionamentos e à nossa carreira, como também uma maneira de realizar um profundo trabalho interior e criar uma mudança poderosa e duradoura. Ao fazer uma pequena mudança de cada vez nas nossas ações ou em nossa perspectiva, todos alcançaremos a conscientização e a presença. A mudança imediata e radical nem sempre é fácil, mas a profunda autocompaixão e o compromisso com o nosso trabalho interior possibilita que avancemos com o fluxo da vida, em vez de lutar contra ele. Todos temos um caminho na vida que existe para ser descoberto e percorrido.

CONCLUSÃO

Ao longo deste livro, abordamos alguns conceitos básicos da teoria do Eneagrama e investigamos várias aplicações do sistema, como na escolha da carreira, nos encontros românticos e nas fases difíceis da vida. Ao escrever a respeito dessas aplicações, esperamos oferecer uma caixa de ferramentas que poderá ajudá-lo com os desafios diários que enfrenta. Na nossa experiência, não existe nenhum substituto para o Eneagrama como um atalho para a autoconsciência. Uma vez que descubra seu tipo, você traz à luz motivações anteriormente ocultas atrás do seu comportamento. Você fica face a face com o que você quer, desenterra as estratégias ineficazes que seu ego usa para perseguir esse desejo e começa a pensar em maneiras de realizá-lo que são diferentes dos seus antigos hábitos. A jornada é ao mesmo tempo crucial e esclarecedora.

O Eneagrama é uma ferramenta maravilhosa, mas uma ferramenta é apenas tão boa quanto os propósitos para os quais é utilizada. À medida que for discernindo os tipos das outras pessoas na sua vida, poderá usar o Eneagrama para lidar com as interações, se conscientizar das suas tendenciosidades e adaptar a comunicação às metas e perspectivas delas. Você pode apresentar o sistema para grupos, criando uma linguagem comum para que os membros entendam uns aos outros. (Formule o sistema como uma ferramenta e não como uma maneira de definir as pessoas; a maioria das pessoas não gosta de ser "colocada em um cercado.") À medida que você for aprendendo a respeito de si mesmo, poderá encontrar inspiração ao projetar uma vida que seja mais adequada às suas necessidades e que traga seus talentos para o mundo. As aplicações mais produtivas do Eneagrama são aquelas em que ele é usado para o crescimento. Observe as maneiras pelas quais os desejos da sua personalidade moldam suas ações. Repare quando o solilóquio estiver monopolizando sua atenção, afastando-o do momento presente e impedindo-o de se envolver por completo. Use esses momentos de observação como um sinal de alerta para levar sua atenção de volta para o mundo à sua volta e fazer escolhas ativas e conscientes. Cabe a você pegar o que aprendeu com o Eneagrama e aplicá-lo das maneiras que melhor se ajustam às suas necessidades e circunstâncias pessoais.

Nós o encorajamos a dar seguimento à sua jornada do Eneagrama além destas páginas. Este livro é apenas a ponta do *iceberg* quando se trata das descobertas que o Eneagrama tem a oferecer. Passe um bom tempo estudando os nove tipos de personalidade e descobrindo o seu. Se for viável para você, tenha uma vivência mais pessoal do Eneagrama em um seminário, uma conferência ou um treinamento. Leia a respeito das áreas nas quais você gostaria de utilizar o Eneagrama, como a criação dos filhos, os negócios ou o crescimento pessoal. Aprofunde-se em aspectos adicionais da teoria que o interessam. A teoria de Riso e Hudson sobre os Níveis de Desenvolvimento, mencionada no Capítulo 1 (p. 17) e a teoria dos Instintos/ Subtipos apresentada por Naranjo e expandida por outros professores são áreas fecundas para o autoexame além do escopo da teoria introdutória. Na seção Recursos no final deste livro, relacionamos algumas recomendações sobre as numerosas fontes disponíveis para que você possa aprofundar seu conhecimento do Eneagrama.

Quanto mais aprender a respeito do Eneagrama, mais profundo será seu conhecimento e mais ferramentas terá à sua disposição para lidar com os altos e baixos da vida. É difícil retroceder depois de ter visto claramente seus padrões e motivações. Seus equívocos a respeito de quem você é desaparecem aos poucos, e um novo modo de vida se torna possível. Esperamos que a descoberta do Eneagrama lhe proporcione a mesma clareza e a orientação que nos proporcionou.

APÊNDICE

ATALHOS PARA QUE VOCÊ ESCAPE DOS SEUS PADRÕES

As perguntas e práticas a seguir interrompem a maneira habitual do seu tipo de ver o mundo e se envolver com ele. Nós as estamos oferecendo para lhe proporcionar novas maneiras de olhar para as coisas e se abrir para possibilidades. Use-as como um estímulo para viver de uma maneira mais equilibrada.

TIPO UM

PERGUNTAS

Esta responsabilidade é apenas minha ou posso conseguir ajuda e apoio de outras maneiras?

O que eu quero fazer que é divertido e como posso fazer isso acontecer?

PRÁTICA

Quebre uma regra ou princípio. Não precisa ser uma regra muito importante, mas deve ser algo que desafie seus limites. Escolha uma coisa que você acredita que não deveria fazer. Observe como é a experiência.

TIPO DOIS

PERGUNTAS

O que eu preciso neste momento?

Como posso demonstrar que me importo comigo mesmo da mesma maneira como me importo com meus entes queridos?

PRÁTICA

Tire "férias da ajuda". Reserve um período (mais longo do que um que você considere satisfatório) no qual não entrará em contato para ver como as pessoas estão passando nem ajudará ninguém. Diga "não" se alguém lhe pedir alguma coisa. Preste atenção aos sentimentos e necessidades que surgem em você.

TIPO TRÊS

PERGUNTAS

O que eu faria com o meu tempo se ninguém estivesse me observando?

O que me conecta com meu coração?

PRÁTICA

Desconecte-se. Reserve um período no qual você não atenderá ao telefone, não checará seus e-*mails*, não postará mensagens em redes sociais nem verá, compartilhará ou responderá a quaisquer mensagens. Sintonize-se consigo mesmo e reflita sobre quaisquer constatações que lhe ocorram.

TIPO QUATRO

PERGUNTAS

Quais são os desejos realistas por trás das minhas fantasias e que medidas posso tomar para fazer com que eles se concretizem? O que posso fazer neste momento para levar bondade para o mundo?

PRÁTICA

Interaja com o mundo ao seu redor. Escolha uma atividade produtiva que envolva outras pessoas e comprometa-se a fazer isso durante um período determinado. Observe as habilidades que demonstra ao começar a agir, em vez de viver na sua cabeça.

TIPO CINCO

PERGUNTAS

Eu realmente preciso saber mais a respeito disto ou posso começar e aprender à medida que eu prosseguir? O que posso fazer para me sentir conectado neste momento?

PRÁTICA

Comece alguma coisa. Escolha uma ideia ou um projeto sobre o qual você venha pensando e dê o primeiro passo: nenhuma pesquisa ou ponderação é permitida. Programe o tempo para concluir os passos 2, 3 etc. Como é agir sem pensar demais?

TIPO SEIS

PERGUNTAS

Que decisões me parecem certas?

O que eu faria se não sentisse medo e como posso fazer isso?

PRÁTICA

Escolha uma situação com relação à qual você esteja indeciso. Se fosse a autoridade, o que se aconselharia a fazer? Tenha uma conversa com seu "guia interior" e coloque em prática o conselho dele. Consulte esse guia sempre que desejar uma opinião a respeito de alguma coisa.

TIPO SETE

PERGUNTAS

O que eu gosto a respeito do que estou fazendo ou de onde estou no momento?

Em qual das minhas ideias devo me concentrar?

PRÁTICA

Entre muitas atividades possíveis, escolha uma que encerre significado para você. Comprometa-se a se dedicar a ela durante um período determinado. Se começar a pensar em outra coisa, lembre a si mesmo o significado da atividade.

TIPO OITO

PERGUNTAS

Que tipo de apoio preciso dos outros e como posso recebê-lo? Como posso demonstrar que me importo com as pessoas que significam muito para mim?

PRÁTICA

Faça alguma coisa relaxante durante um período determinado. Escolha uma atividade que seja tranquila e meditativa em vez de estimulante. Use o tempo para se conectar consigo mesmo e com seu coração. Como é fazer uma pausa e não despender energia?

TIPO NOVE

PERGUNTAS

Como desejo ser visto no mundo e como brilhar neste momento? Esta é uma situação na qual realmente me sinto à vontade com qualquer resultado ou tenho uma opinião formada?

PRÁTICA

Identifique alguma coisa que você deseje e manifeste-se a respeito dela. Peça ajuda, se possível. Se for uma medida que deseja tomar ou um projeto que deseja fazer, determine e inicie os primeiros passos. Como é perturbar o equilíbrio da situação em vez de facilitar as coisas?

RECURSOS

LIVROS E *SITES* RECOMENDADOS

The Complete Enneagram: 27 Paths to Greater Self-Knowledge, de Beatrice Chestnut.

"Enneagram in the Narrative Tradition". www.enneagramworldwide.com.

"The Enneagram Institute". www.enneagraminstitute.com.

The Enneagram Made Easy: Discover the 9 Types of People, Elizabeth Wagele e Renee Baron.

Enneagram Spectrum of Personality Styles, de Jerry Wagner.

The Enneagram: Understanding Yourself and the Others in Your Life, de Helen Palmer.

The Essential Enneagram: The Definitive Personality Test and Self-Discovery Guide, de David Daniels e Virginia Price.

Understanding the Enneagram: The Practical Guide to Personality Types, de Don Riso e Russ Hudson.

The Wisdom of the Enneagram: The Complete Guide to Psychological and Spiritual Growth, de Don Riso e Russ Hudson. [*A Sabedoria do Eneagrama: Guia Completo para o Crescimento Psicológico e Espiritual dos Nove Tipos de Personalidade*, publicado pela Editora Cultrix, São Paulo, 2003.]

NEGÓCIOS E CARREIRA

Awareness to Action: The Enneagram, Emotional Intelligence, and Change, de Robert Tallon e Mario Sikora.

Bringing Out the Best in Yourself in Work: How to Use the Enneagram For Success, de Ginger Lapid-Bogda.

The Career Within You: How to Find the Perfect Job for Your Personality, de Elizabeth Wagele e Ingrid Staff.

DESENVOLVIMENTO PESSOAL

Deep Living: Transforming Your Relationship To Everything That Matters Through The Enneagram, de Roxanne Howe-Murphy.

My Best Self: Using the Enneagram to Free the Soul, de Kathleen Hurley e Theodore Dodson.

Personality Types, de Don Riso e Russ Hudson.

RELACIONAMENTOS

Are You My Type, Am I Yours? Relationships Made Easy Through The Enneagram, de Elizabeth Wagele e Renee Baron.

The Enneagram in Love and Work: Understanding Your Intimate and Business Relationships, de Helen Palmer.

Sex, Love, and Your Personality: The 9 Faces of Intimacy, de Mona Coates e Judith Searle.

Understand Yourself, Understanding Your Partner: The Essential Enneagram Guide to a Better Relationship, de Jennifer P. Schneider e Ron Corn.

DESENVOLVIMENTO ESPIRITUAL

Facets of Unity: The Enneagram of Holy Ideas, de A. H. Almaas.

From Fixation to Freedom: The Enneagram of Liberation, de Eli Jaxon-Bear.

The Enneagram: A Christian Perspective, de Richard Rohr e Andreas Ebert.

Enneagram Transformations, de Don Riso.

The Road Back to You: An Enneagram Journey to Self-Discovery, de Ian Morgan Cron e Suzanne Stabile.

The Spiritual Dimension of the Enneagram: Nine Forces of the Soul, de Sandra Maitri.

The Wisdom of the Enneagram: The Complete Guide to Psychological and Spiritual Growth, de Don Riso e Ross Hudson.

CRIAÇÃO DOS FILHOS E OS JOVENS

The Enneagram for Teens: Discover Your True Personality Type and Celebrate Your True Self, de Elizabeth Wagele.

The Enneagram of Parenting: The 9 Types of Children and How to Raise Them Successfully, de Elizabeth Wagele.

TESTES DO ENEAGRAMA

"Essential Enneagram Online Test", de David Daniels e Virginia Price. www.enneagramworldwide.com. Custo: 10 dólares.

"EnneaApp Personality Test", de Ginger Lapid-Bogda, Ph.D. Faça o *download* para iPhone ou Android em www.enneaapp.com. Custo: 3,99 dólares.

"Teste do Eneagrama usando a Integrative Intelligent Questionnaire Technology", de Dirk Cloete. integrative.co.za. Custo: 15 dólares.

"O RHETI", de Don Riso e Russ Hudson. www.enneagraminstitute.com. Custo: 10 dólares.

"O WEPSS", de Jerry Wagner, Ph.D., www.wepss.com. Custo: 10 dólares.

REFERÊNCIAS

Bessing, Maria, Robert J. Nogosek e Patrick H. O'Leary. *The Enneagram: A Journey of Self-Discovery*. Denville, NJ: Dimension Books, 1984.

Bell, Melanie e Kacie Berghoef. "Berghoef & Bell Innovations." Acesso em: 5 nov. 2016. www.berghoefbell.com.

Bell, Melanie e Kacie Berghoef. *Decoding Personality in the Workplace*. São Francisco: Berghoef & Bell Innovations, 2015.

Chernick Fauvre, Katherine e David Fauvre. "The Enneagram 'Tritype': Exploring the Hierarchy of Your Three Centers of Intelligence." Presentation, International Enneagram Association Global Conference 2008, Atlanta, GA, 2 de ago. de 2008.

Chestnut, Beatrice. *The Complete Enneagram: 27 Paths to Greater Self-Knowledge*. CA: She Writes Press, 2013.

Coates, Mona e Judith Searle. *Sex, Love, and Your Personality: The 9 Faces of Intimacy*. Santa Monica, CA: Therapy Options Press, 2011.

Condon, Tom. "The Changeworks." Acesso em: 8 set. 2016. www.thechangeworks.com.

Daniels, David N. e Virginia Ann Price. *The Essential Enneagram: The Definitive Personality Test and Self-Dicovery Guide*. Nova York: HarperOne, 2000.

Dash, Barbara e Richard Dash. "Use of the Enneagram in Deepening Your Relational Communications." Apresentação, International Enneagram Association Global Conference 2016, Minneapolis, MN, 23 de jul. de 2016.

"The Enneagram Institute." Acesso em: 12 out. 2016. www.enneagram-institute.com/

Levine, Janet. *The Enneagram Intelligences: Understanding Personality for Effective Teaching and Learning*. Westport, CT: Bergin & Garvey, 1999.

Naranjo, Claudio. *Character of Neurosis: An Integrative View*. Nevada City, CA: Gateways/IDHHB, 1994.

Olesek, Susan. "Enneagram Prison Project." Acesso em: 2016. www.enneagramprisonproject.org.

Ouspensky, P. D. *In Search of the Miraculous*. Nova York: Harcourt, Brace, 1949.

Paes, Uranio. "Endone Address." Apresentação, International Enneagram Association Global Conference 2015. Burlingame, CA, 2 ago. 2015.

Palmer, Helen. *The Enneagram in Love and Work: Understanding Your Intimate and Business Relationships*. São Francisco: HarperSanFrancisco, 1995.

Palmer, Helen. *The Enneagram: Understanding Yourself and the Others in Your Life*. São Francisco: HarperSanFrancisco, 1991.

Richardson, Cheryl. "Self-Care and the Enneagram." Palestra, Enneagram Global Summit 2015. *On-line*, 3-5 jun. 2015.

Riso, Don Richard e Russ Hudson. *The Enneagram Institute Training Program*. 2008-2013.

Riso, Don Richard e Russ Hudson. *Personality Types: Using the Enneagram for Self-Discovery*. Nova York: Houghton Mifflin, 1996.

Riso, Don Richard e Russ Hudson, com Paula Warner. *The Riso-Hudson Enneagram Workshop ResourceBook*. Stone Ridge, NY: The Enneagram Institute, 2010.

Riso, Don Richard e Russ Hudson. *Understanding the Enneagram: The Practical Guide to Personality Types*. Nova York: Houghton Mifflin, 2000.

Riso, Don Richard e Russ Hudson. *The Wisdom of the Enneagram: The Complete Guide to Psychological and Spiritual Growth for the Nine Personality Types*. Nova York: Bantam Books, 1999.

Sikora, Mario e Maria Jose Munita. *Awareness in Action International Certification Program Level 1*. Burlingame, CA, 2015.

Siudzinski, Robert M. e Robert A. Siudzinski. "The Use of the Enneagram in Higher Education: Powerful Insights for Young Adult Learning, Career Crafting, and Community Engagement." Apresentação, International Enneagram Association Global Conference 2014, Burlingame, CA, 25 jul. 2014.

Tallon, Robert e Mario Sikora. *Awareness to Action: The Enneagram, Emotional Intelligence, and Change*. Scranton, PA: University of Scranton Press, 2004.

Wagele, Elizabeth e Ingrid Stabb. *The Career Within You: How to Find the Perfect Job for Your Personality*. Nova York: HarperOne, 2009.

Wagele, Elizabeth. *The Enneagram of Parenting: The 9 Types of Children and How to Raise Them Successfully*. Nova York: HarperOne, 1997.

AGRADECIMENTOS

Gostaríamos de agradecer ao falecido Don Riso e a Russ Hudson por nos apresentar ao Eneagrama e nos ensinar suas complexidades como ferramenta para o trabalho interior. Somos gratas também ao corpo docente e à equipe do The Enneagram Institute – Lynda Roberts, Gayle Scott, Michael Naylor, Brian Taylor, Katy Taylor, Donna Teresi, Jen Jeglinski, Patrice Heber e Elyse Nakajima – por sua ajuda e seu apoio durante as aulas e o curso de licenciatura do Enneagram Institute.

Somos gratas também a Mario Sikora e Maria Jose Munita por seus ensinamentos de Awareness to Action sobre a aplicação do Eneagrama aos negócios e ao *coaching* de uma maneira acessível.

Nossos agradecimentos a Deb Ooten, Beth O'Hara, Tom Condon, David Daniels e Jessica Dibb por seus seminários informativos e sábios conselhos e apoio.

Somos muito agradecidas a Nana K. Twumasi e à equipe da Callisto Media por nos proporcionar uma maravilhosa oportunidade de escrever a respeito do Eneagrama e oferecer um novo ponto de vista sobre seus valiosos ensinamentos.

Somos gratas também a Shut Up and Write San Francisco por ser um ambiente acolhedor para que grande parte deste livro fosse escrito.

Nossos pais e irmãos apoiaram nosso interesse no Eneagrama e aturaram muitas "conversas sobre números" ao longo dos anos. Muito obrigada a vocês todos!

Melanie deseja agradecer a Katherine Fauvre e David Fauvre por seu aconselhamento inicial, ao corpo docente e à equipe da

Faculdade Renaissance por promover a investigação da liderança em diferentes contextos e a Thomas Mengel por supervisionar minha primeira pesquisa e seminários sobre o Eneagrama. Obrigada a Ricky Germain por me apresentar ao Eneagrama e pelas numerosas pelas discussões interessantes que tivemos, e a Aine ni Cheallaigh por escrever e pelas palestras sobre os tipos. Kacie deseja agradecer a Earl Wagner e Anne Geary pela colaboração, pelas discussões e amizade. Nossas discussões ao longo dos anos foram enriquecedoras e gratificantes. Obrigada a Bonnie Hamilton, Richelle e Fo McKinley e Scott Valeri pela amizade e pelo apoio nos eventos do Eneagrama e além deles.

Por fim, mas não menos importante, desejamos agradecer uma à outra pelos anos de colaboração, inovação, amor e apoio. Que haja muitos outros!